Santillana USA

Published in the United States of America.

Viajes
ISBN: 1-59437-343-3

The participation and contributions of the following educators in the development of *Viajes* are gratefully acknowledged:

Arnhilda Badía, Ph.D., Professor of Modern Language Education
Frederick S. Richard, Educational Writer/Developer
Marta Nabut, Elementary Spanish Teacher
Luz Santiago, Elementary Spanish Teacher
Deborah Naegle, Elementary Spanish Teacher
Anna Boadas, Elementary Spanish Teacher

Illustrations: Douglas Wright
Design and Layout: Alejandra Mosconi
Cover Design: Noreen T. Shimano

Santillana USA Publishing Company, Inc.
2023 NW 84th Avenue, Miami, FL 33122

Printed in USA by HCI Printing & Publishing, Inc.
12 11 10 05 06 07 08 09 10

ACKNOWLEDGMENTS

TEXT: The Publisher acknowledges the significant contributions of writers and educators whose work has been reproduced in this book: **p. 8**, "¿Quiénes son los hispanos?" adapted from *Sociedad hoy 4*, Santillana Venezuela; **p. 20**, "Juegos tradicionales" adapted from *Sociedad hoy 4*, Santillana Venezuela; **p. 32**, "La familia" adapted from *Lenguaje 2*, *Siglo XXI*, Santillana Perú; **p. 44**, "Los medios de transporte" adapted from *Naturaleza y comunidad, Siglo XXI*, Santillana Perú; **p. 56**, "Nos adaptamos al clima" adapted from *Lenguaje 1*, *Siglo XXI*, Santillana Perú; **p. 68**, "Los dinosaurios" adapted from *Cabriola 3*, Santillana España; **p. 80**, "Hernán Cortés" adapted from *Lengua 2*, Santillana España; **p. 92**, "Los bailes folklóricos" adapted from *Lengua 3*, Santillana España; **p. 104**, "Los movimientos de la Tierra" adapted from *Lecturas Santillana 1*, *Serie Caracol*, Santillana Venezuela; **p. 116**, "Defensas de los animales marinos" adapted from *Ciencias Integradas 3*, Santillana Uruguay; **p. 128**, "Don Quijote de la Mancha" adapted from *Convivencia 3*, Santillana Puerto Rico; **p. 164**, "A la compra" adapted from *Lengua 2*, Santillana España; **p. 176**, "Los medios de comunicación" adapted from *Step Up 4*, Santillana México.

PHOTOS: p. 1 © Jim Cummins/Corbis COVER; **p. 5** © ROB & SAS/Corbis COVER; **p. 8** © Steve Chenn/Corbis COVER; **p. 9** © Richard Cummins/Corbis COVER; **p. 11**,Young Boy © Royalty-Free/Corbis COVER; Young Girl © Rob Lewine/Corbis COVER; **p. 12** © Steve Kaufman/Corbis COVER; **p. 13** © John Henley/Corbis COVER; **p. 17** © Gail Mooney/Corbis COVER; **p. 19** © Duomo/Corbis COVER; **p. 20** (from left to right) Boy Spinning Top © Paul A. Souders/Corbis COVER; Boy Shoots Marbles © Kelly-Mooney Photography/Corbis COVER; **p. 23** © Laura Dwight/Corbis COVER; **p. 25** © Rob Lewine/Corbis COVER; **p. 35** © Philip James Corwin/Corbis COVER; **p. 37** © Randy Faris/Corbis COVER; **p. 44** © Fernando Alda/Corbis COVER; **p. 47** © Royalty-Free/Corbis COVER; **p. 49** © Nik Wheeler/Corbis COVER; **p. 55** © Ann Giordano/Corbis COVER; **p. 56** (from left to right) Frigiliana, pueblos blancos, Andalucía © Macduff Everton/Corbis COVER; Snow Covered Roofs in Steyr, Austria © Sandro Vannini/Corbis COVER; Prague Art Nouveau Apartment Block © Elizabeth H. Dunnell; Edifice/ Corbis COVER; Village of La Malene in the Gorges du Tarn © Chris Hellier/Corbis COVER; **p. 59** © Royalty-Free/Corbis COVER; **p. 61** © Kevin Schafer/Corbis COVER; **p. 68** © Gail Mooney/Corbis COVER; **p. 71** © Stewart Tilger/Corbis COVER; **p. 73** © Sergio Dorantes/Corbis COVER; **p. 77** © Jeremy Horner/Corbis COVER; **p. 80** Hernan Cortes Engraving by John William Cook © Michael Nicholson/Corbis COVER; **p. 85** © Nik Wheeler/Corbis COVER; **p. 92** © Morton Beebe/Corbis COVER; **p. 95** (from left to right)Young Mariachi Performer © Danny Lehman/Corbis COVER; Girls Playing Soccer © Ed Bock/Corbis COVER; **p. 97** © Roger Ressmeyer/Corbis COVER; **p. 105** © Corbis COVER; **p. 109** © Onne van der Wal/Corbis COVER; **p. 116** Stonefish © Stephen Frink/Corbis COVER, Electric Ray © Stephen Frink/Corbis COVER; Octopus© Jeffrey L. Rotman/Corbis COVER; Starfish © Lawson Wood/Corbis COVER; **p. 119** © Brandon D. Cole/Corbis COVER; **p. 121** © Peter M. Wilson/Corbis COVER; **p. 128** © Owen Franken/Corbis COVER; **p. 131** © Julio Donoso/Corbis SYGMA COVER; **p. 133** © Sandy Felsenthal/Corbis COVER; **p. 143** © Scott T. Smith/Corbis COVER; **p.145** © Robert Holmes/Corbis COVER; **p. 152** © Bettmann/Corbis COVER; **p. 155** © Raymond Gehman/Corbis COVER; **p. 157** © José Luis Peláez, Inc./Corbis COVER; **p. 167** © Ariel Skelley/Corbis COVER; **p. 169** © Bob Krist/Corbis COVER; **p. 176** © Sally Ann Norman; Edifice/Corbis COVER; **p. 179** © Roger Ressmeyer/Corbis COVER.

Contenido

Unidad 1

Unidad 2

Unidad 3

Unidad 4

Unidad 5

Unidad 11

Unidad 12

Unidad 13

Unidad 14

Unidad 15

Nos conocemos

En esta unidad vas a:

- conocer la clase del Sr. Gómez.
- presentarte a tus compañeros.
- decir de dónde eres y practicar el verbo *ser.*
- aprender el concepto de *género gramatical*.
- leer sobre quiénes son los hispanos y divertirte con un juego.
- escribir una ficha de datos personales.
- hacer una ficha de un país hispano.

¡Bienvenidos a clase!

Hola, yo soy Mike. Soy de aquí.
¿Cómo están? Me llamo Lupe, como mi abuela. Ella es de México.
Bueno, entonces tú eres méxicoamericana. ¿Quiénes faltan?
Muy bien. Ahora tengo que aprenderme los nombres de todos.
¡Yo! Me llamo Tom.
¿Qué tal? Me llamo Leslie.
Hola, me llamo Danny.
Hola, amigos. Yo soy Lee.
¿De dónde es usted, Sr. Gómez?
De aquí. ¡Miren! Puerto Rico, una isla fabulosa... Antonio, ven y señala tu país, España.
España está aquí, en Europa.

Conversemos

Hola, ¿cómo estás? — Bien gracias.

¿Cómo te llamas? — Me llamo... Soy...

¿Eres de aquí? — Sí, soy de aquí. No, soy de...

Adiós. — Adiós. Hasta mañana. Hasta luego.

Los pronombres personales

Mira a Rita. ¿De dónde es ella? Ella es mexicana.

Mira a Mark y a Dennis. ¿De dónde son ellos? Ellos son de Estados Unidos.

¿De dónde eres tú?

Las palabras *yo*, *ella*, *ellos* y *tú* son **pronombres personales**. Éstas son sus formas:

	Primera persona	Segunda persona	Tercera persona
Singular	**Yo**	**Tú, usted**	**él, ella**
Plural	**nosotros, nosotras**	**ustedes**	**ellos, ellas**

La primera persona es uno mismo, la segunda es la persona a quien uno se dirige y la tercera es la persona de quien decimos o preguntamos algo.
Hay formas en singular (para referirse a una persona) y en plural (para referirse a más de una).
Usas la forma *tú* con amigos y la forma *usted* con personas a quienes debes mostrar respeto.
Usas *nosotras* y *ellas* si te refieres a grupos de sólo niñas o mujeres.

El verbo *ser*

- Escucha y observa.

Soy estudiante.

Tú también **eres** estudiante.

El Sr. Gómez **es** mi profesor.
Es de Puerto Rico.

Somos compañeros de clase.

APRENDE

Ser es un verbo. Éstas son sus formas.

(yo)	**soy**	(nosotros, –as)	**somos**
(tú)	**eres**		
(él, ella)	**es**	(ellos, ellas)	**son**
(usted)	**es**	(ustedes)	**son**

Los pronombres personales están entre paréntesis porque no es necesario usarlos siempre. Generalmente la forma del verbo es suficiente para indicar la persona.

Ejemplos:

Somos amigos de Nancy.
Ella **es** mi mejor amiga.

¿**Eres** de Puerto Rico?
Soy estudiante de cuarto grado.

RETO

¿Cuántos son en tu clase? ¿De qué escuela eres estudiante?

El artículo y el género

En español las palabras que nombran personas, animales y cosas se dividen en *masculinas* o *femeninas*. Cuando son masculinas generalmente terminan en *–o* y cuando son femeninas generalmente terminan en *–a*. Pero no siempre. Por ejemplo, decimos *el mapa* y *la mano*.

- Observa.

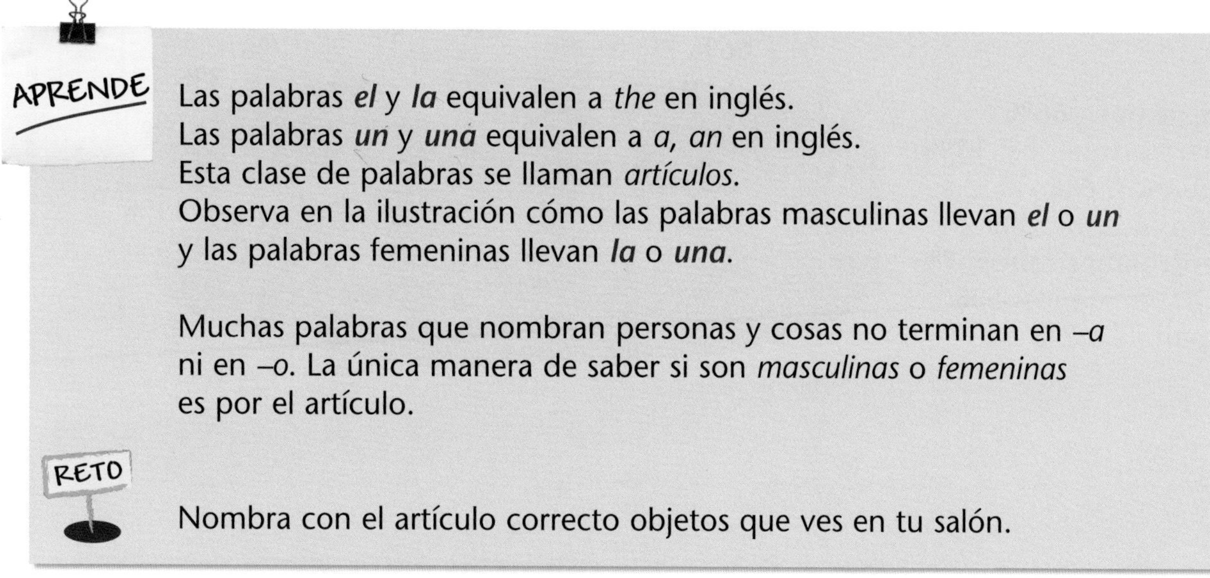

APRENDE

Las palabras *el* y *la* equivalen a *the* en inglés.
Las palabras *un* y *una* equivalen a *a, an* en inglés.
Esta clase de palabras se llaman *artículos*.
Observa en la ilustración cómo las palabras masculinas llevan ***el*** o ***un*** y las palabras femeninas llevan ***la*** o ***una***.

Muchas palabras que nombran personas y cosas no terminan en *–a* ni en *–o*. La única manera de saber si son *masculinas* o *femeninas* es por el artículo.

RETO

Nombra con el artículo correcto objetos que ves en tu salón.

¿Quiénes son los hispanos?

En los Estados Unidos hay más de 35 millones de hispanos. Los hispanos son personas que provienen de países donde se habla español. Según el último censo, la mayoría de hispanos provienen de México y las islas del Caribe. Algunas personas también llaman latinos a los hispanos.

Fíjate en la gráfica de abajo. ¿Ves cómo la mayoría de los hispanos en los Estados Unidos son de origen mexicano?

Luego siguen los puertorriqueños y los centroamericanos.

El estado donde viven más hispanos es California. Luego siguen Texas, Nueva York, Illinois, Nueva Jersey y la Florida.

Hispanos en Estados Unidos

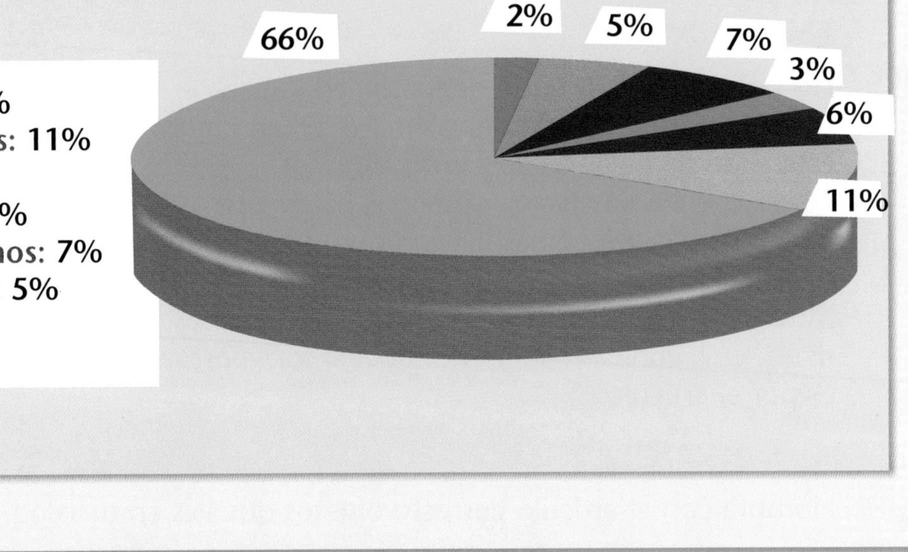

Contesta

1. ¿Qué tipo de texto leíste?
   Leí un texto...
   a. divertido.
   b. informativo.
   c. persuasivo.

2. ¿De qué trata el texto?
   Trata de...
   a. los hispanos.
   b. los estadounidenses.
   c. los mexicanos.

3. El estado donde hay más hispanos es...
   a. Nueva York.
   b. Texas.
   c. California.

4. Si la palabra *mexicano* se refiere a México, ¿a qué país se refiere la palabra *puertorriqueño*?...
   a. al Caribe.
   b. a Puerto Rico.
   c. a Centroamérica.

5. ¿Conoces a personas hispanas o latinas? Menciona algunas.

- Investiga la presencia hispana o latina en tu estado.

La serpiente traganombres

- Juega con un compañero o compañera para sacar los nombres que se tragó la serpiente. Se tragó nombres de niños, niñas y países. Esperen la señal para empezar. Gana la pareja que termine primero.

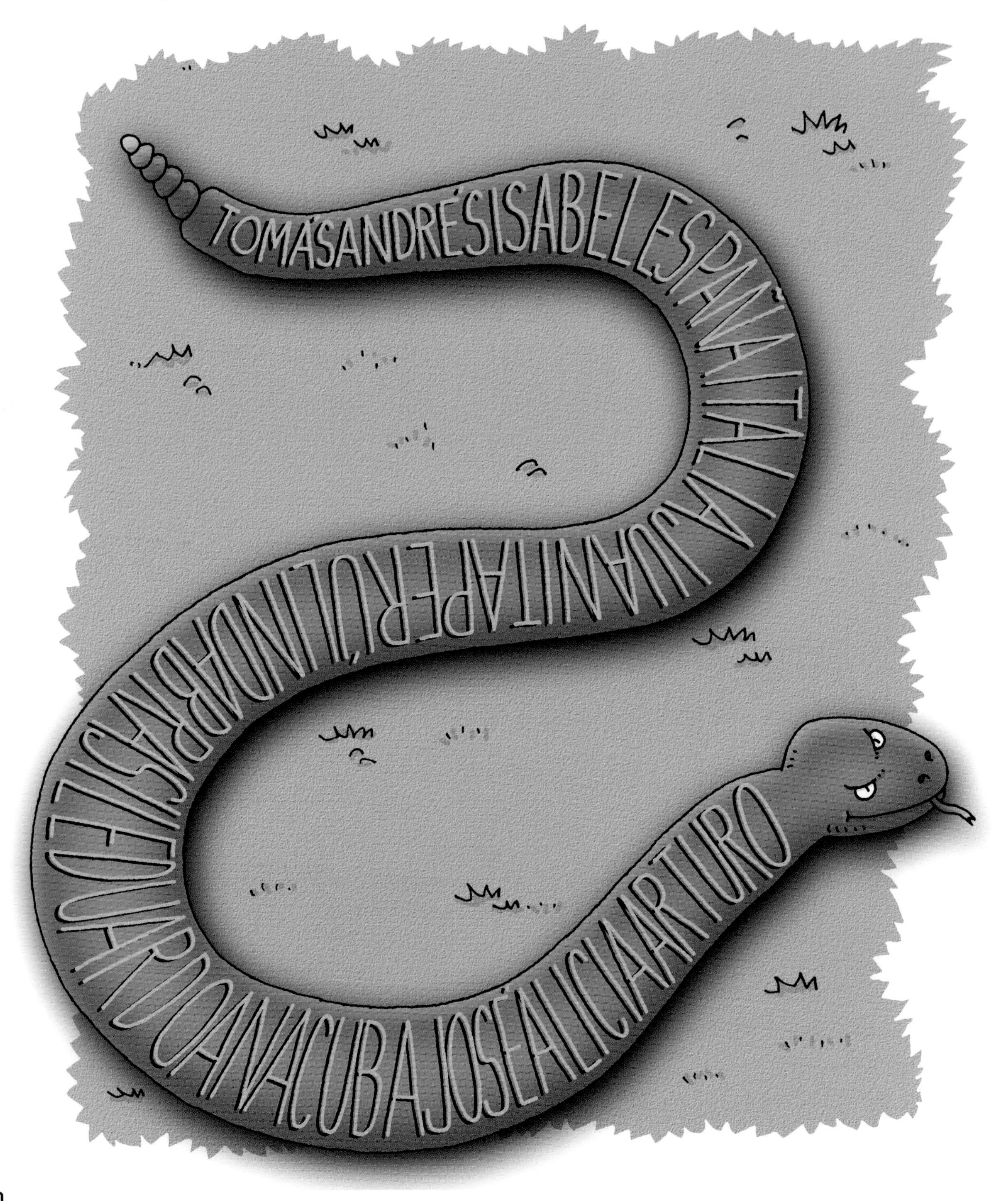

Mis datos personales

1. Lee esta ficha.

Mi nombre completo es: Juan José González.
Nací en: Miami el día: 15 de julio de 1995.
Mi papá se llama: José.
Mi mamá se llama: Carmen.
Tengo: dos hermanos.
Voy a la escuela: Coral Way.
Estoy en el: cuarto grado.

2. Comenta con tus compañeros de qué trata la información anterior.

3. Escoge las palabras que puedas necesitar para escribir una ficha como la anterior con tus datos personales.

4. Escribe la ficha con tus datos personales.

5. Inventa otra ficha para esta niña.

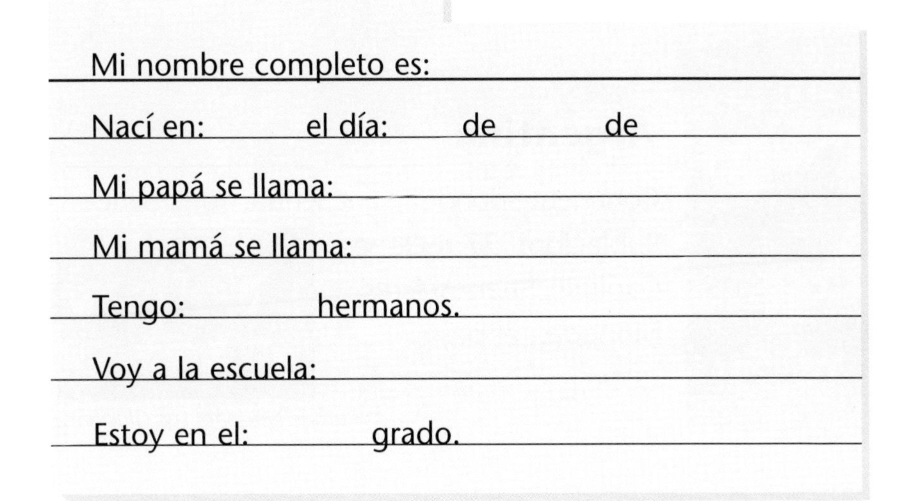

Mi nombre completo es:
Nací en: el día: de de
Mi papá se llama:
Mi mamá se llama:
Tengo: hermanos.
Voy a la escuela:
Estoy en el: grado.

Los países hispanos

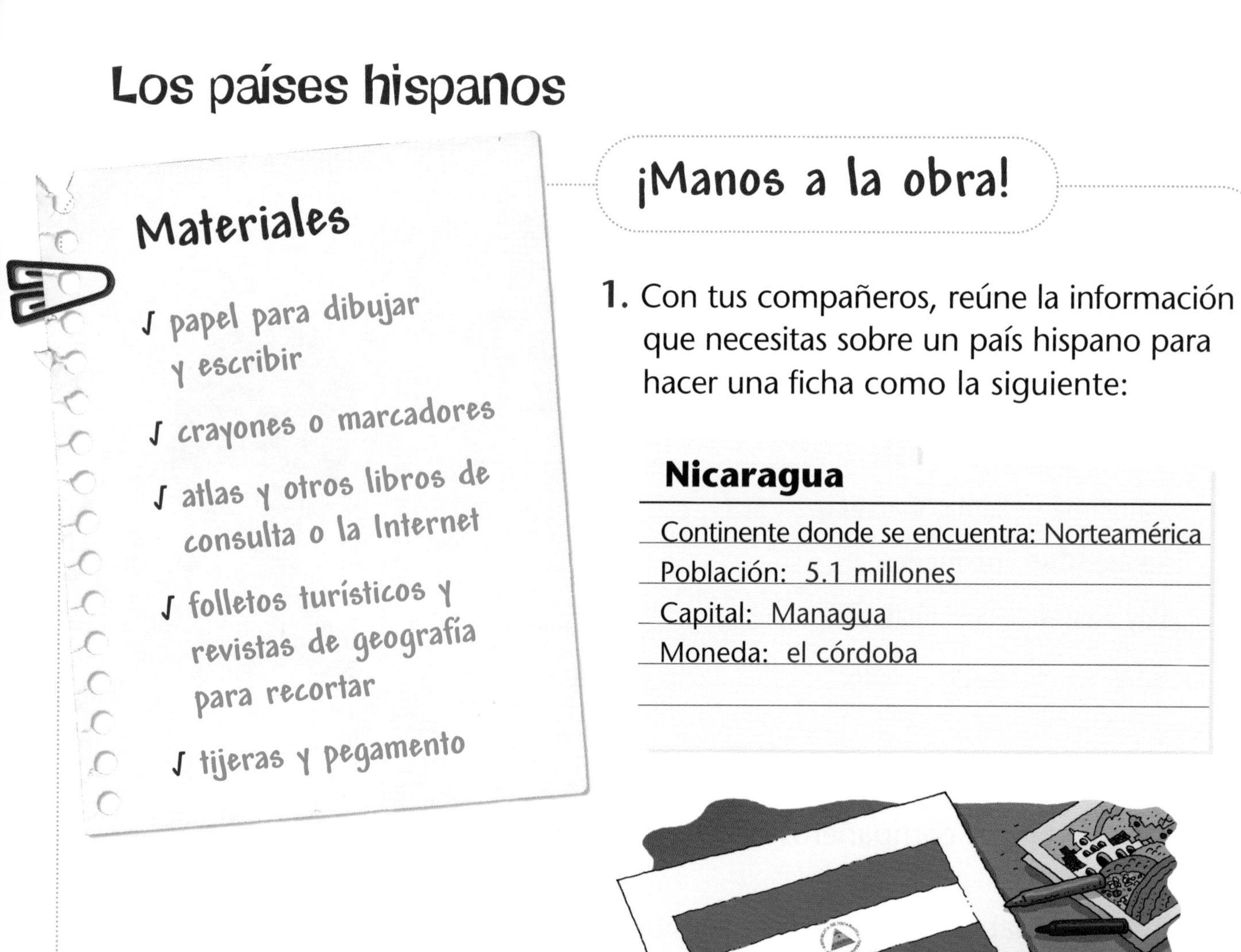

Materiales

- papel para dibujar y escribir
- crayones o marcadores
- atlas y otros libros de consulta o la Internet
- folletos turísticos y revistas de geografía para recortar
- tijeras y pegamento

¡Manos a la obra!

1. Con tus compañeros, reúne la información que necesitas sobre un país hispano para hacer una ficha como la siguiente:

Nicaragua

Continente donde se encuentra: Norteamérica
Población: 5.1 millones
Capital: Managua
Moneda: el córdoba

2. Dibuja la bandera del país.

3. Crea una ficha como las que se muestran con la foto de un lugar interesante que hay en el país. Identifícalo.

Argentina

Continente donde se encuentra: Sudamérica
Población: 37 millones
Capital: Buenos Aires
Moneda: el peso

Parque Nacional Los Glaciares

Estudiar y jugar

En esta unidad vas a:

- descubrir qué van a hacer cinco estudiantes de la clase del Sr. Gómez.
- decir qué te gusta hacer y qué no te gusta.
- aprender acerca de las palabras semejantes o *cognados*.
- repasar algunos verbos que ya conoces.
- leer acerca de los juegos que practican los niños hispanos y participar en un juego divertido.
- escribir una agenda.
- hacer un molino de viento.

Un anuncio importante

¡Sí! ¿Saben por qué?... Tú, Mike, fuiste el mejor estudiante de español el año pasado. Tú, Susan, aprendes español desde hace dos años y ya lo hablas muy bien.
Gracias, Sr. Gómez. Me gusta estudiar y aprender.
Antonio, tú, como eres de España, vas con nosotros para que nos enseñes algo de ese país.
Tú, Lupe, nos vas a enseñar algo de México.
¿Y yo, Sr. Gómez? ¿Por qué voy yo también?
Porque tú estudias los dinosaurios, ¿verdad Nancy?
Sí, pero...
Pues el primer lugar que vamos a visitar es un museo lleno de dinosaurios.
nadar
estudiar
patinar
jugar
ayudar
volar
hablar
Pero antes, vamos a repasar algunos verbos.
Aquí tienen crayones y papel. Hagan un dibujo para demostrar que saben qué quieren decir los verbos en el pizarrón.

Conversemos

¿Te gusta

- patinar?
- dibujar?
- jugar al béisbol?
- nadar?
- caminar a la escuela?
- hablar español?
- estudiar para un examen?
- volar en avión?

Sí, me gusta.

No, no me gusta.

Palabras semejantes

Hay palabras que son muy parecidas en español y en inglés.
Es fácil adivinar qué significan.

APRENDE

Cognados son las palabras que significan lo mismo y se escriben igual o de forma parecida en dos idiomas. Cuando se parecen en la forma, pero tienen significados diferentes, son *falsos cognados* y se les llama "falsos amigos".

CUIDADO

Ten cuidado con los falsos cognados.
En el ejemplo siguiente, ¿qué oración identifica correctamente el edificio?

- Es la Librería de la ciudad de Nueva York.
- Es la Biblioteca de la ciudad de Nueva York.

Verbos del grupo *–ar*

- Escucha y observa.

El mono **habla** inglés.

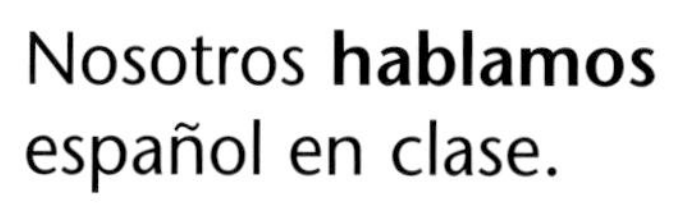

Nosotros **hablamos** español en clase.

¿Y tú, **hablas** inglés y español?

APRENDE

Hablar es un verbo. Tiene formas regulares, como otros verbos que también terminan en *–ar*.

(yo)	habl**o**	(nosotros, –as)	habl**amos**
(tú)	habl**as**		
(él, ella)	habl**a**	(ellos, ellas)	habl**an**
(usted)	habl**a**	(ustedes)	habl**an**

Estos son otros verbos regulares que también terminan en *–ar*:

ayudar

caminar

dibujar

estudiar

nadar

patinar

¿Cuáles son las formas de los verbos *ayudar* y *patinar*?

El verbo *jugar*

- Escucha y observa.

¿Quiénes **juegan**?
Los Suns de Phoenix
y los Lakers de Los Ángeles.

¿Qué **juegan**?
Básquetbol o baloncesto.

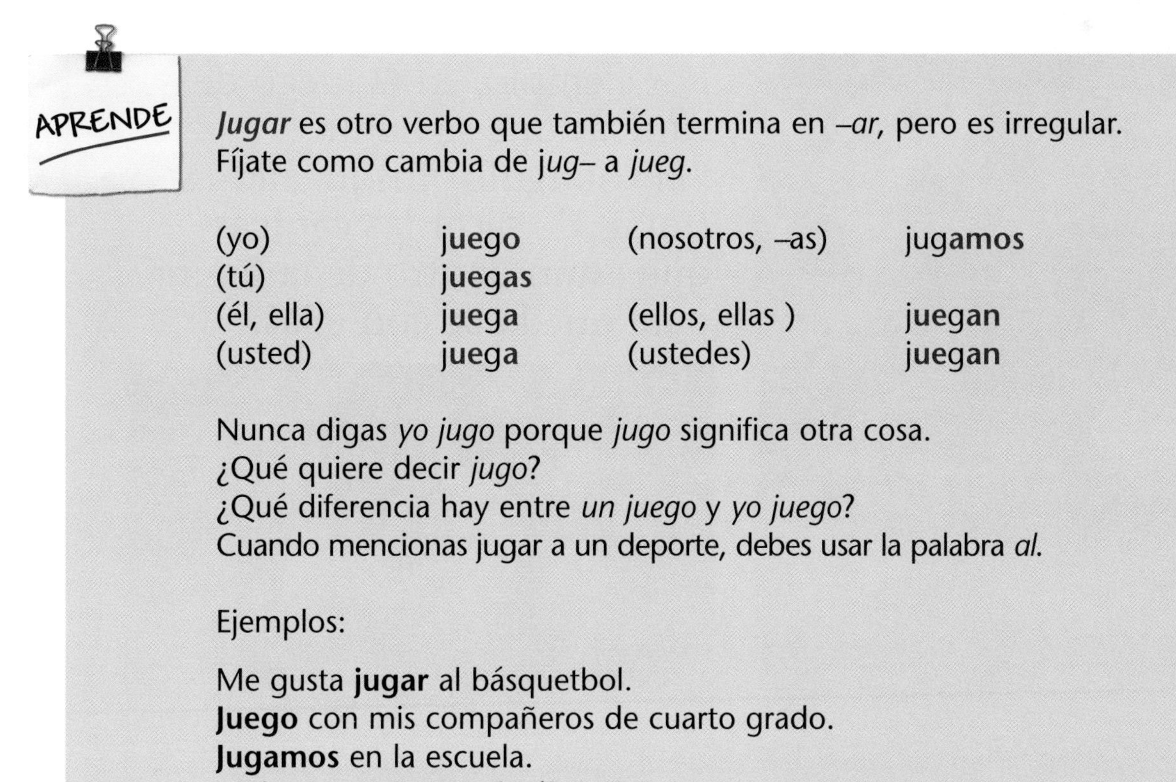

APRENDE

Jugar es otro verbo que también termina en *–ar*, pero es irregular.
Fíjate como cambia de *jug–* a *jueg*.

(yo)	**juego**	(nosotros, –as)	**jugamos**
(tú)	**juegas**		
(él, ella)	**juega**	(ellos, ellas)	**juegan**
(usted)	**juega**	(ustedes)	**juegan**

Nunca digas *yo jugo* porque *jugo* significa otra cosa.
¿Qué quiere decir *jugo*?
¿Qué diferencia hay entre *un juego* y *yo juego*?
Cuando mencionas jugar a un deporte, debes usar la palabra *al*.

Ejemplos:

Me gusta **jugar** al básquetbol.
Juego con mis compañeros de cuarto grado.
Jugamos en la escuela.
Mi hermana **juega** al vóleibol.

¿Qué juegas con tus compañeros?

JUEGOS TRADICIONALES

¿Qué juegos te gustan, los modernos o los tradicionales? Los juegos tradicionales son juegos que nuestros abuelos enseñaron a nuestros padres, y luego nuestros padres nos enseñan a nosotros. ¿Qué juegos has aprendido de tus padres?

Hay juegos individuales y juegos colectivos. Los juegos individuales son los que juegas tú solo. El yoyo y el trompo son algunos de los juguetes con que se divierten los niños hispanos cuando juegan solos.

Los juegos colectivos se practican en grupo, con los compañeros de clase o con los amigos. Entre amigos, muchos niños hispanos juegan a las canicas.

Cada juego tiene su objetivo. Por ejemplo, en el juego de canicas que se llama "El triángulo" los jugadores tratan de sacar las canicas que están dentro de la figura para quedarse con ellas.

¿Has jugado tú a las canicas?

Contesta

1. ¿Cuál es el título del texto que leíste?
   - a. Juegos modernos.
   - b. Juegos tradicionales.
   - c. Juegos colectivos.

2. ¿De qué trata el texto?
   Trata de...
   - a. diferentes tipos de juegos.
   - b. diferentes juguetes.
   - c. diferentes niños.

3. En un juego colectivo...
   - a. juegan varios niños.
   - b. juegas sólo.

4. En un juego individual...
   - a. juegan padres y abuelos.
   - b. cada niño juega su juego.

5. ¿Cuál es tu juego favorito?

ACTIVIDAD

- Haz un dibujo de un juego conocido.
  Escribe su nombre.

La carrera del mono y el cangrejo

REGLAS

1. Formar dos equipos.
2. Cada equipo se coloca en la línea de partida.
3. Dar la señal de partida. El primer jugador de cada equipo camina como mono hasta la meta. Allí cambia a la posición de cangrejo y camina hacia atrás hasta regresar a la línea de partida.
4. Continuar con la carrera hasta que el último jugador regrese a la línea de partida.
5. Gana el equipo que termina primero.

Planes para el fin de semana

1. Lee la agenda de Ana Lucía para el fin de semana.

SÁBADO

por la mañana

- levantarme tarde
- mirar televisión
- andar en bicicleta

por la tarde

- hablar por teléfono con una amiga
- bañar a mi perro
- jugar con mi amiga

DOMINGO

por la mañana

- ayudar a mis papás a limpiar la casa
- nadar en la piscina
- practicar el piano

por la tarde

- visitar a los abuelos
- escuchar música mexicana
- acostarme temprano

2. Comenta con tus compañeros de qué trata el texto anterior.

3. Piensa en las actividades que quieres hacer este fin de semana. Haz una lista de las palabras y frases que puedas necesitar para escribir una agenda como la anterior con tus planes.

4. Escribe tu agenda.

5. Lee tu agenda a tus compañeros.

Molino de viento

¡Manos a la obra!

1. Con tus compañeros, mide, marca y recorta el lado más largo de una hoja de papel de construcción para hacerla cuadrada.

2. Marca dos líneas diagonales que se cruzan en el centro del cuadrado.

3. Corta el papel sobre las líneas que has marcado, empezando en cada esquina hasta llegar a una pulgada del centro.

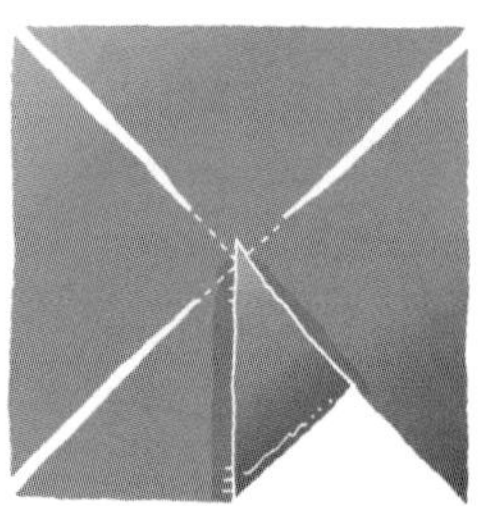

4. Dobla por los cortes como se ve en el dibujo.

5. Sostén las puntas del centro con una tachuela o "push pin" y clava la punta en la varilla de madera.

6. Ahora tienes un lindo juguete.

La familia

En esta unidad vas a:

- conocer a la familia de Mike.
- repasar los nombres de los miembros de la familia y los números hasta 31.
- decir cómo eres y cómo estás.
- aprender algunas diferencias en el uso de *ser* y *estar.*
- leer un poema acerca de una familia.
- practicar un sorteo.
- escribir cómo eres.
- hacer un retrato de un ser querido.

En casa de Mike

Mamá,
¿por qué no puedo ir yo?
Soy muy buena estudiante.
Eres muy
pequeña.
Niños,
no discutan.
Más tarde, durante la cena.
¿Hay más pan
con ajo?
Sí, está
en la cocina.
Entonces, papá,
¿me das permiso,
para ir a la gira,
verdad?
Por supuesto, hijo.
Tú mamá y yo estamos
muy orgullosos de ti,
Mike.
Yo quiero ir
también.
Ahora no, Anita.
Irás cuando
seas mayor.

Mike,
¿puedes ayudar
a limpiar la cocina?
Estoy cansado.
Sí, papá.
Luego te ayudo.
Ahora quiero
llamar a Antonio.
Sólo por un
minuto...
¿Dónde está el
teléfono?
Usa el teléfono
que está
en mi cuarto.

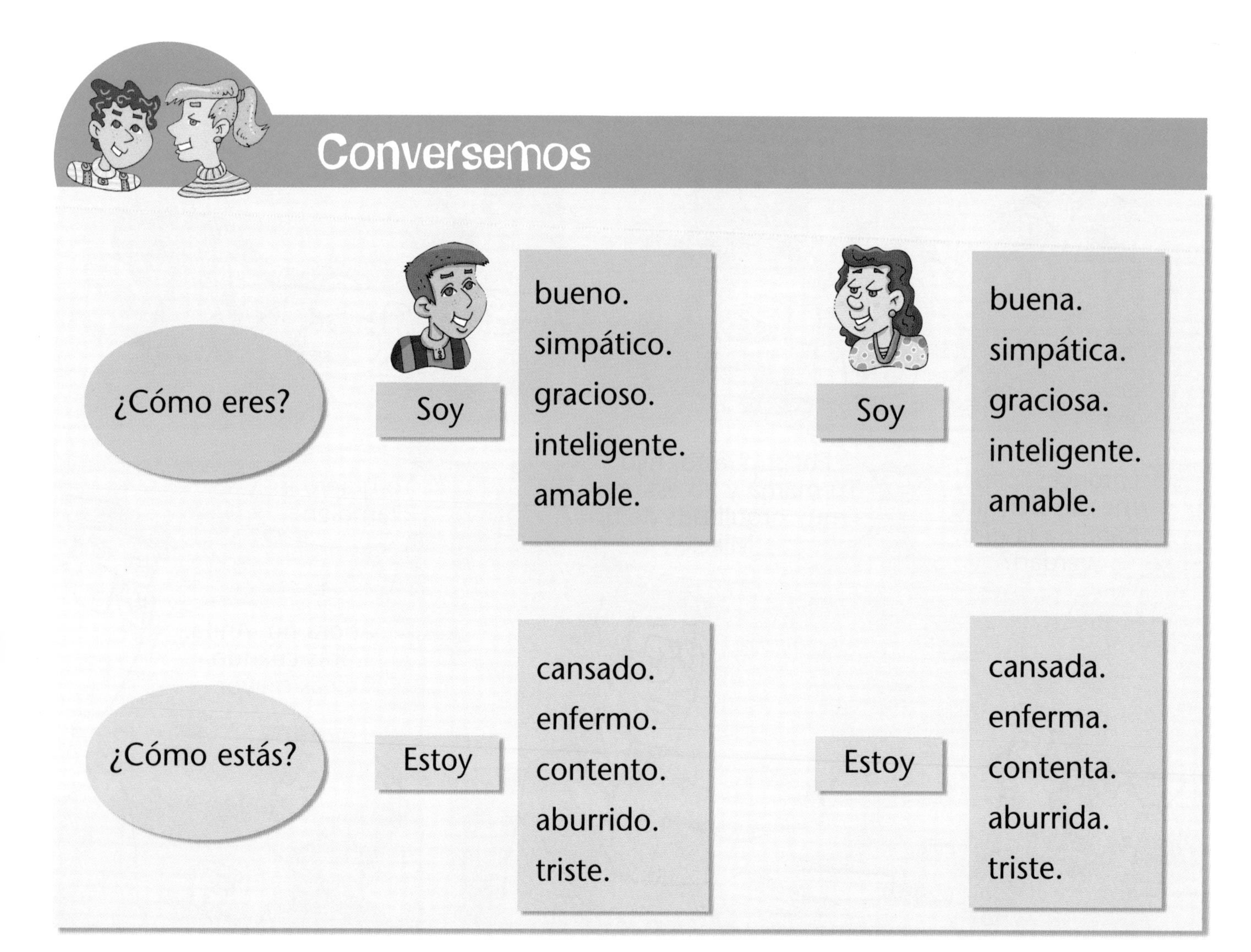
Conversemos
¿Cómo eres?
Soy
bueno.
simpático.
gracioso.
inteligente.
amable.
Soy
buena.
simpática.
graciosa.
inteligente.
amable.
¿Cómo estás?
Estoy
cansado.
enfermo.
contento.
aburrido.
triste.
Estoy
cansada.
enferma.
contenta.
aburrida.
triste.

La familia y los números

Mi familia

Los números

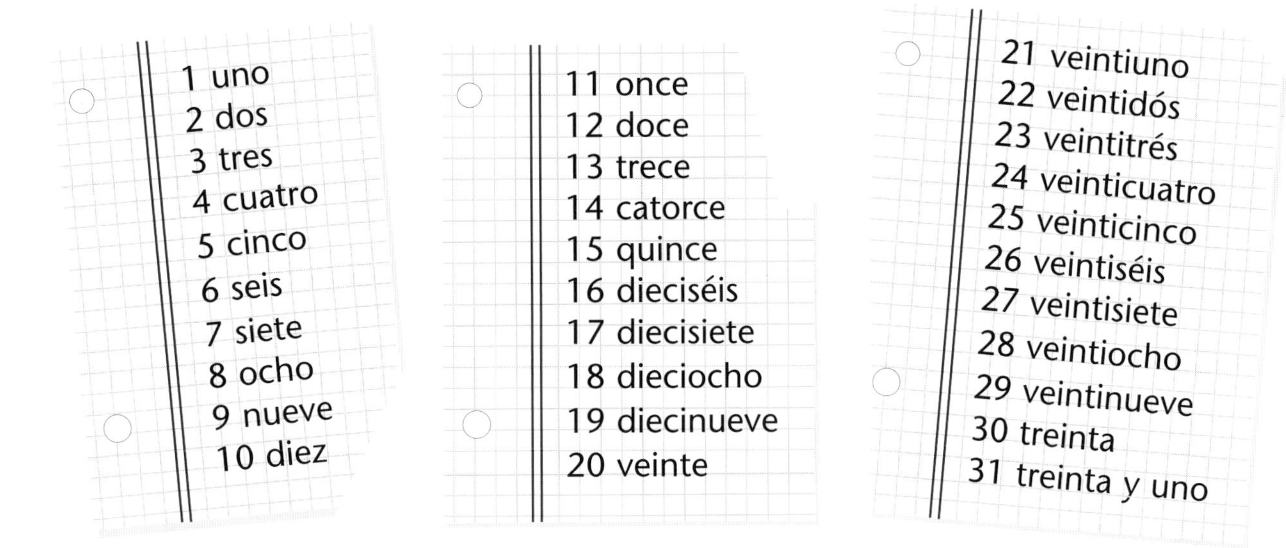

1 uno
2 dos
3 tres
4 cuatro
5 cinco
6 seis
7 siete
8 ocho
9 nueve
10 diez

11 once
12 doce
13 trece
14 catorce
15 quince
16 dieciséis
17 diecisiete
18 dieciocho
19 diecinueve
20 veinte

21 veintiuno
22 veintidós
23 veintitrés
24 veinticuatro
25 veinticinco
26 veintiséis
27 veintisiete
28 veintiocho
29 veintinueve
30 treinta
31 treinta y uno

APRENDE

Hasta el treinta, los números se escriben con una sola palabra.
Después del treinta, las decenas y unidades se separan.

El verbo *estar*

- Escucha y observa.

El perro y el gato **están** cansados.

¿Dónde **está** la niña?
Está en la playa.

¿Dónde **están** los niños?
Están en la escuela.

Estoy en la escuela.
¿Dónde **estás** tú?

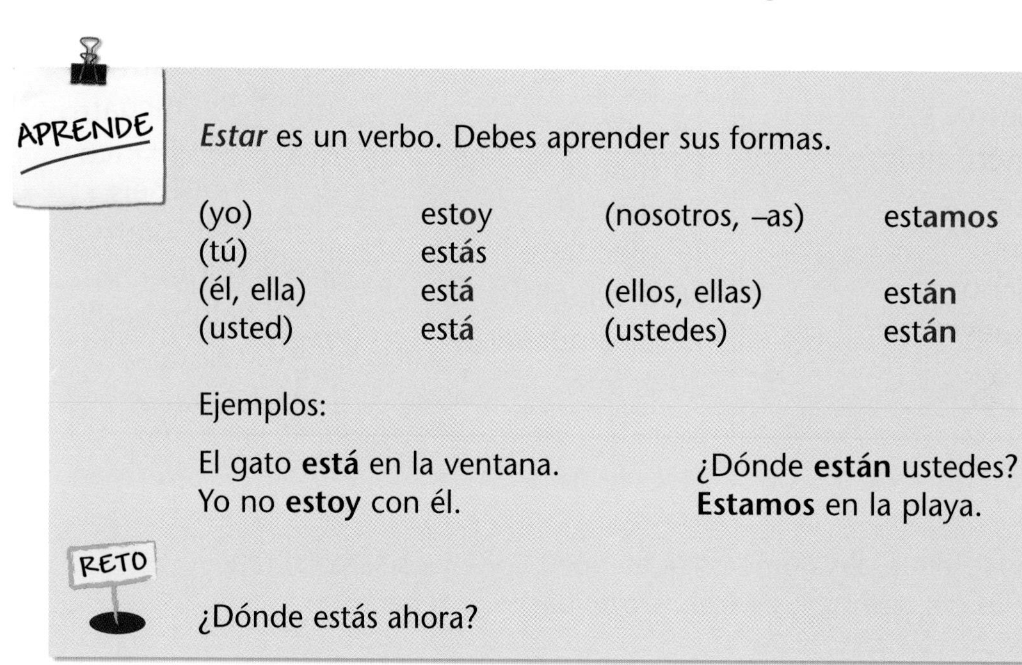

Estar es un verbo. Debes aprender sus formas.

(yo)	estoy	(nosotros, –as)	estamos
(tú)	estás		
(él, ella)	está	(ellos, ellas)	están
(usted)	está	(ustedes)	están

Ejemplos:

El gato **está** en la ventana.
Yo no **estoy** con él.

¿Dónde **están** ustedes?
Estamos en la playa.

¿Dónde estás ahora?

Los verbos *ser* y *estar*

- Escucha y observa.

¿Quién **es**?
Es Rocket, el perro de Mike.

¿**Está** cansado?
Parece que sí.

¿Quién **es** Anita?
Es la hermana de Mike.

¿**Está** triste?
Parece que sí.

Los verbos *ser* y *estar* equivalen a *to be* en inglés. Debes aprender a usarlos correctamente.

Se usa *ser*

- para indicar de dónde es una persona, animal u objeto.
- para identificar a una persona, animal u objeto.
- para expresar características permanentes.

Ejemplos:

¿De dónde **eres**?
Soy de Arizona.

¿Quién **es** Antonio?
Es mi amigo.

¿Cómo **es** él?
Es inteligente.

Se usar *estar*

- para indicar dónde está una persona, animal u objeto.
- para saludar.
- para expresar condiciones pasajeras.

Ejemplos:

¿Dónde **está** el teléfono?
Está en mi cuarto.

Hola, ¿cómo **estás**?
Bien, gracias.

¿Cómo **está** tú hermana?
Está enferma.

RETO

¿Quiénes son tus amigos y amigas? ¿Dónde están?

La familia

Escucha con atención:

Mi padre y mi madre, dos;
cinco con mis hermanos y yo;
con mis abuelos llegamos a nueve.
Si cuento a mis tíos,
ya somos trece;
y con mis primos,
llegamos a veinticuatro.

Observa los dibujos
y cuéntanos uno por uno.

Si contaste bien
esta admirable familia,
es que puedes llegar a ser
un matemático cuentista.

Contesta

1. ¿Cuántos abuelos hay en esta familia?
   En esta familia hay...
   a. cuatro abuelos.
   b. tres abuelos.
   c. doce abuelos.

2. ¿Cuántos primos hay en esta familia?
   En esta familia hay...
   a. dos primos.
   b. diez primos.
   c. once primos.

3. Las palabras *madre* y *padre* quieren decir lo mismo que...
   a. tía y abuela.
   b. hermano y hermana.
   c. papá y mamá.

4. ¿Cómo es esta familia?
   a. Grande.
   b. Pequeña.
   c. Inteligente.

5. ¿Cuántos son en tu familia?

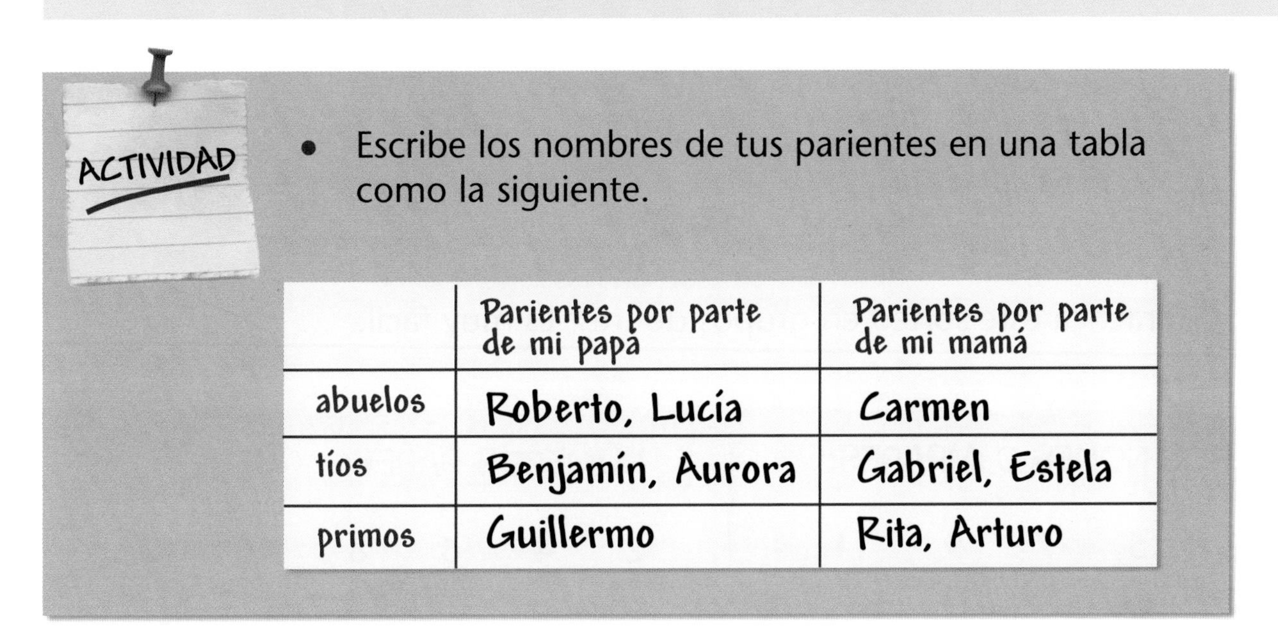

- Escribe los nombres de tus parientes en una tabla como la siguiente.

	Parientes por parte de mi papá	Parientes por parte de mi mamá
abuelos	Roberto, Lucía	Carmen
tíos	Benjamín, Aurora	Gabriel, Estela
primos	Guillermo	Rita, Arturo

Sorteos

- Antes de empezar un juego, hay que hacer un sorteo para escoger quién va primero. Si la suma de los dedos que muestran los niños da nones, gana el niño que dijo *nones*. Si la suma da pares, gana el niño que dijo *pares*.

- Practica este sorteo en grupos de tres. Es muy fácil.

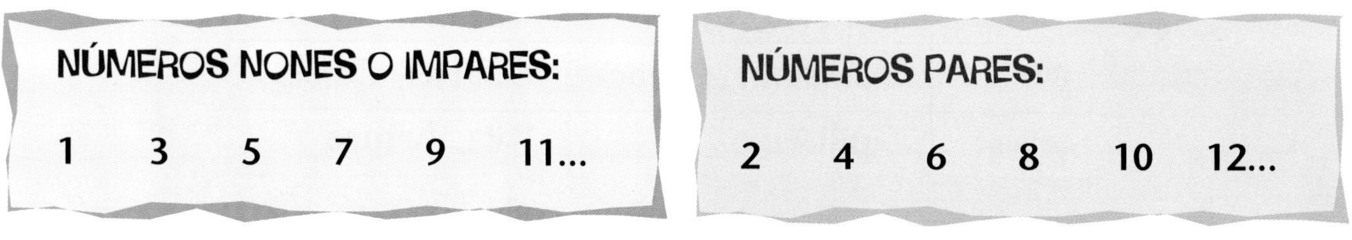

¿Quién soy yo?

1. Lee cómo Kristy contestó esta pregunta.

Me llamo Kristy. Soy alta, de ojos grises y pelo color café. Soy estudiante y estoy en cuarto grado.

Soy una niña inteligente y simpática. Mi hermano dice que soy floja, pero no es cierto. Saco mejores notas que él.

Me gusta cantar y bailar. Mi mamá dice que canto muy bien. Ella es maestra de español. Por eso, también me gusta aprender español.

2. Comenta con tus compañeros de qué trata el texto anterior.

3. Piensa en tu persona. Haz una lista de las palabras que puedas necesitar para escribir tres párrafos sobre tu persona.
   En el primer párrafo di quién eres y describe tus características físicas.
   En el segundo párrafo describe cómo eres por dentro.
   En el tercer párrafo describe tus gustos.

4. Escribe los párrafos.

5. Lee tu descripción a tus compañeros.

Retratos

Materiales

- foto o dibujo de tu mejor amigo o amiga, tu papá, tu mamá o tu mascota
- plato de cartón
- crayones o marcadores
- retazos de papel de distintos colores para decorar
- listón o hilo de lana
- cinta adhesiva

¡Manos a la obra!

1. Pega la foto o el dibujo que has escogido en el centro del plato de cartón.

2. Debajo de la foto o dibujo escribe el nombre de la persona o mascota. Escribe alrededor palabras que dicen cómo es él o ella.

3. Decora el plato.

4. En la parte de atrás del plato, escribe tu nombre y pega con cinta adhesiva las puntas de un listón o hilo de lana.

5. Ahora tienes un lindo retrato para colgar en la pared.

Los medios de transporte

Unidad 4

En esta unidad vas a:

- descubrir por qué nuestros amigos están tan entusiasmados con el regalo del planeta Rueda.
- aumentar tu vocabulario para conversar sobre cómo las personas y los productos se mueven de un lugar a otro.
- practicar el verbo *ir*.
- leer sobre los medios de transporte y divertirte con un juego.
- escribir sobre cómo se transporta tu familia.
- representar medios de transporte con figuras geométricas.

El regalo del planeta Rueda

Bueno, vamos, que tenemos que estudiar sobre los medios de transporte.
¡Ah! Y otra cosa: piensen en un nombre para la nave.
AITIMAR
Pensemos en un nombre divertido.
De acuerdo.
Esta tarde nos vamos a reunir otra vez después que terminen las clases.
¿Dónde, Sr. Gómez?
En mi oficina.
Más tarde, en la oficina del Sr. Gómez.
Bueno, ¿pensaron en un nombre para la nave?
Yo ya pensé en un nombre. ¿Por qué no le ponemos *Aitimar*?
¿*Aitimar*? ¡Qué nombre tan raro!

Yo creo que el nombre es perfecto, porque como vamos a viajar por aire, tierra y mar...
Lupe, si a ti no te gusta el nombre *Aitimar*, ¿vas a sugerir otro?
No. Ahora entiendo por qué es *Aitimar*.
Muy bien. Si todos están de acuerdo la llamaremos *Aitimar*.

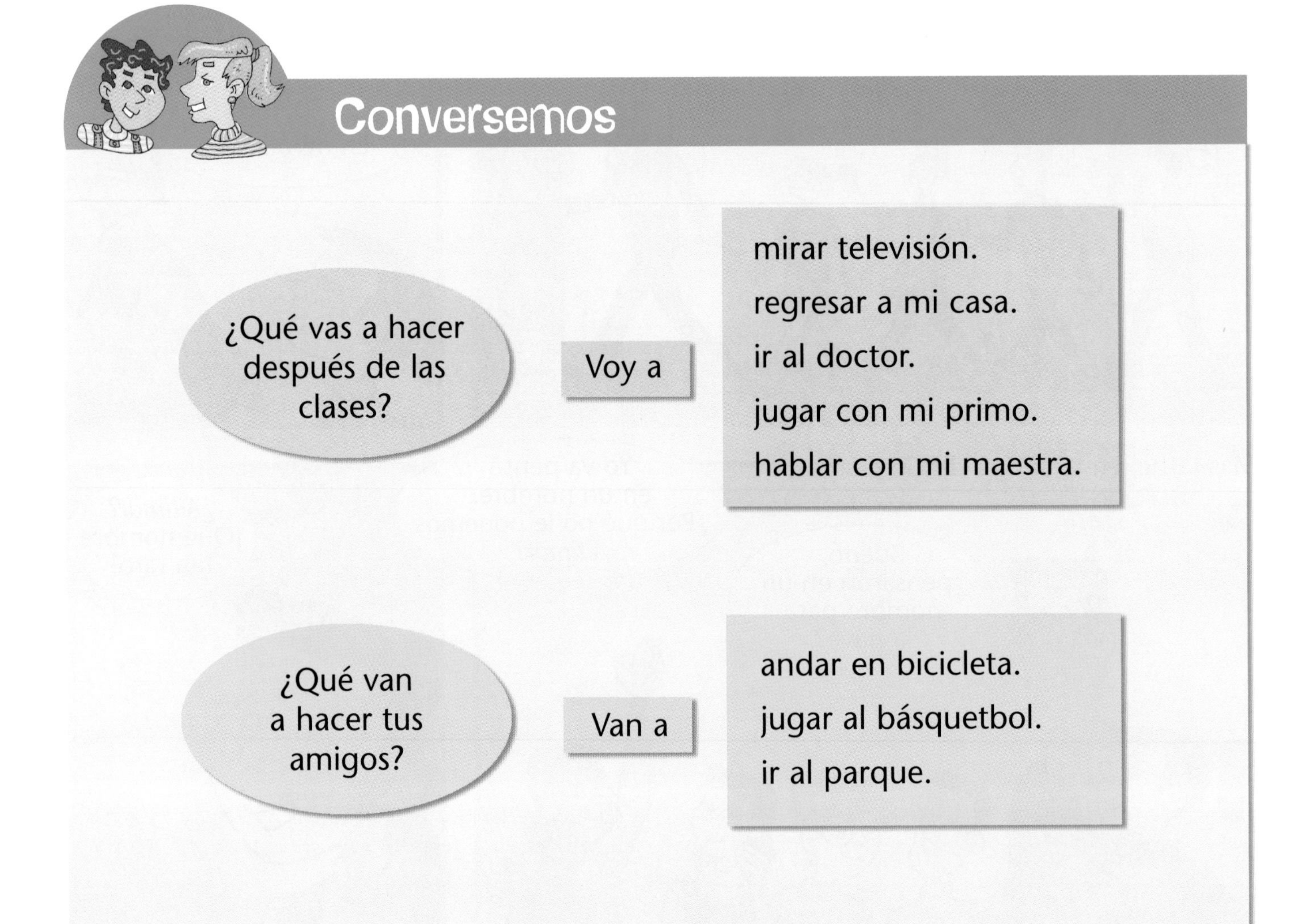
Conversemos
¿Qué vas a hacer después de las clases?
Voy a
mirar televisión.
regresar a mi casa.
ir al doctor.
jugar con mi primo.
hablar con mi maestra.
¿Qué van a hacer tus amigos?
Van a
andar en bicicleta.
jugar al básquetbol.
ir al parque.

Los transportes

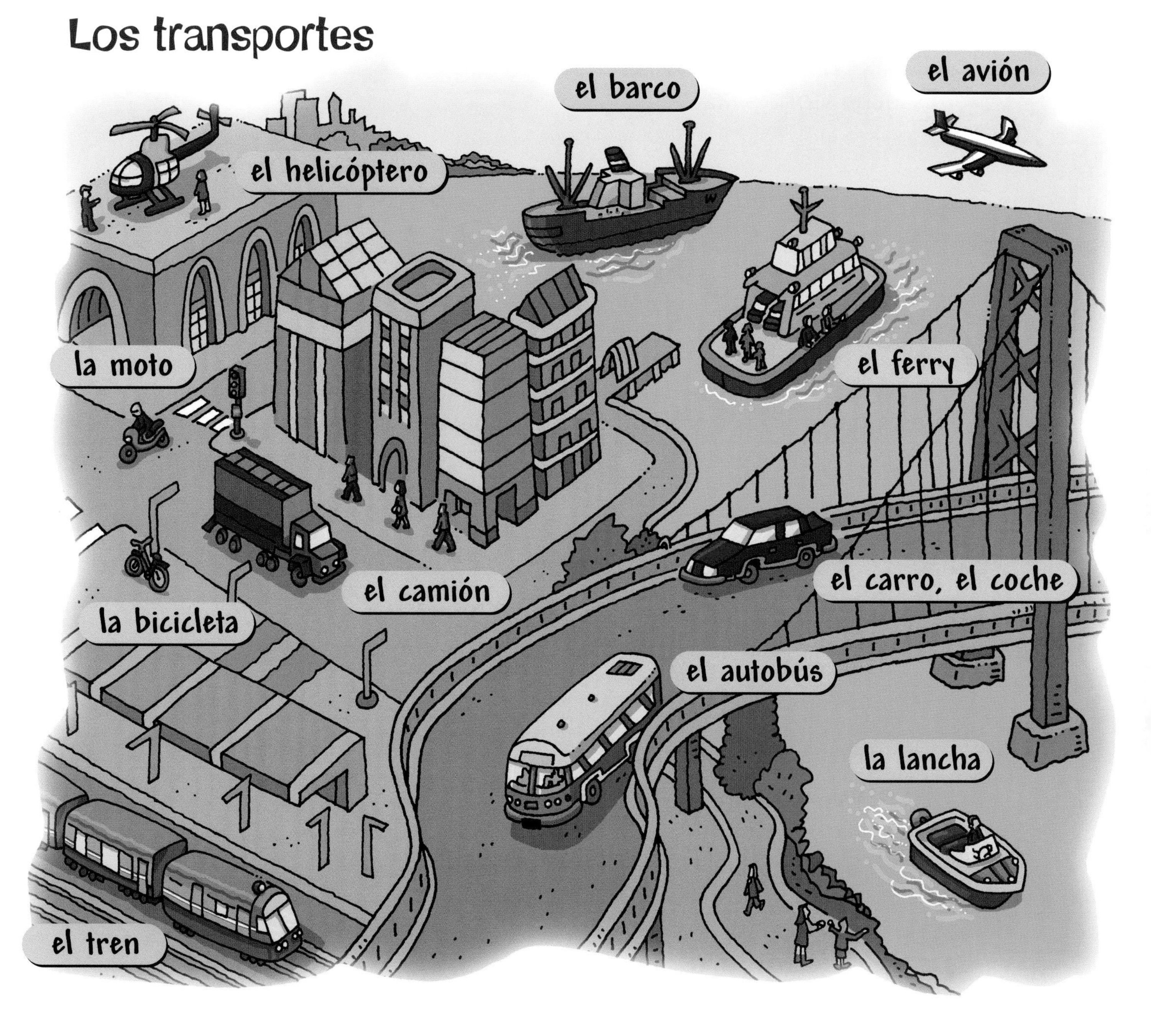

- Escucha y observa cómo se escriben las palabras subrayadas.

Víctor va a viajar en una nave espacial.

Yo sólo viajo en vehículos que no vuelan, como el barco, la bicicleta y el autobús.

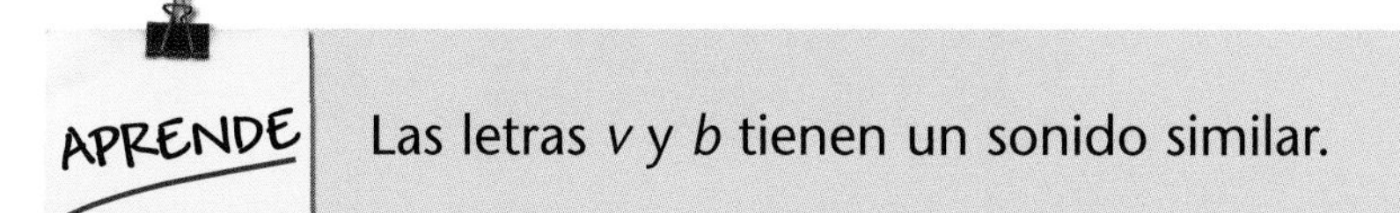

APRENDE

Las letras *v* y *b* tienen un sonido similar.

El verbo *ir*

- Escucha y observa.

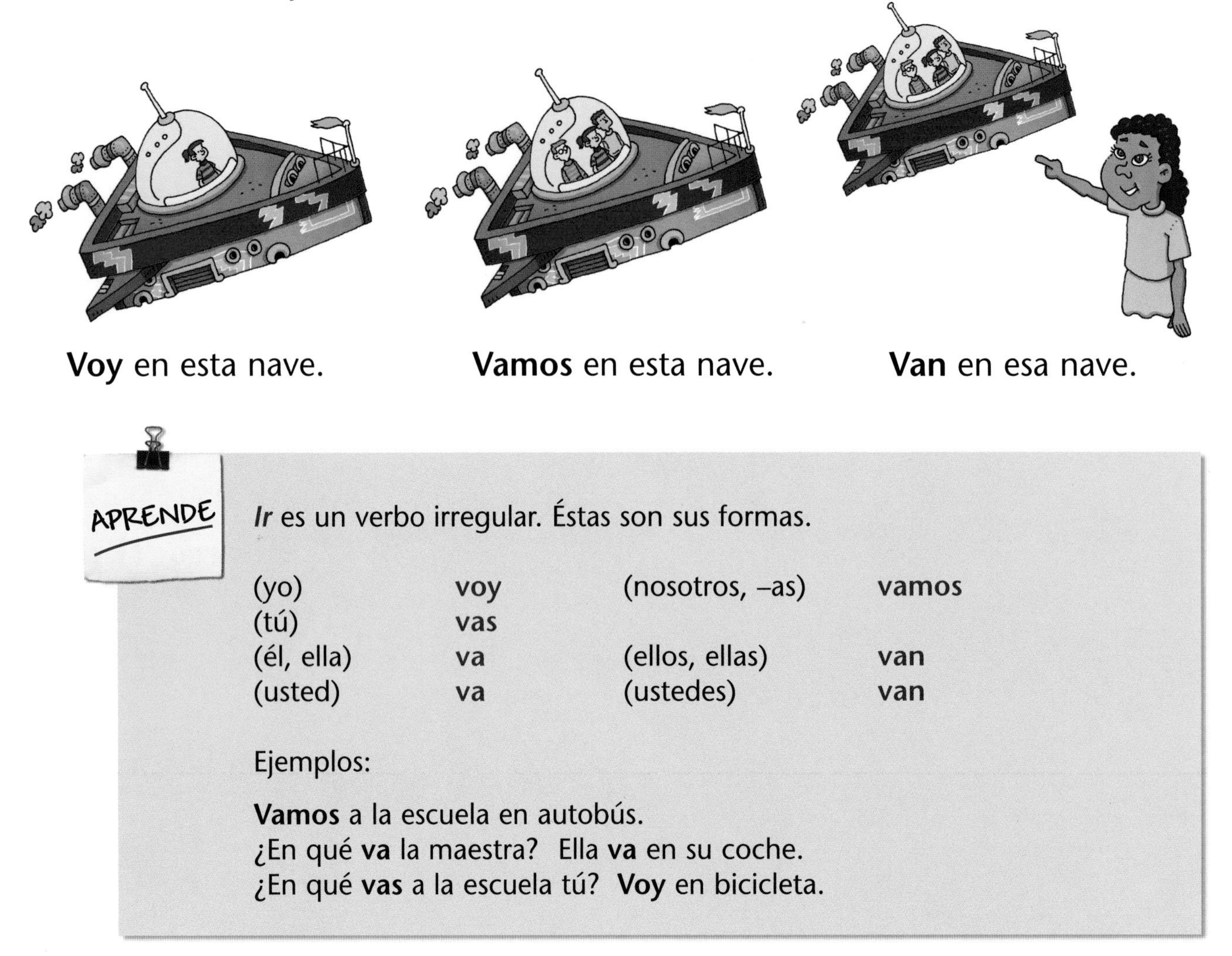

Voy en esta nave.

Vamos en esta nave.

Van en esa nave.

APRENDE

Ir es un verbo irregular. Éstas son sus formas.

(yo)	**voy**	(nosotros, –as)	**vamos**
(tú)	**vas**		
(él, ella)	**va**	(ellos, ellas)	**van**
(usted)	**va**	(ustedes)	**van**

Ejemplos:

Vamos a la escuela en autobús.
¿En qué **va** la maestra? Ella **va** en su coche.
¿En qué **vas** a la escuela tú? **Voy** en bicicleta.

La construcción *ir a*

- Escucha y observa.

Voy a llamar a mi papá.

Voy a visitar Puerto Rico.

APRENDE

Con las formas de *ir* + la palabra *a* y el infinitivo de otro verbo, se indica algo que vas a hacer.

Ejemplos:

Voy a viajar con mis padres en el verano.
Tú vas a visitar un país muy interesante.

RETO

¿Adónde vas a ir más tarde?

El plural de los artículos

- Observa.

Los artículos *el, la, un* y *una* tienen formas en plural.
La palabra *los* es el plural de *el*. La palabra *las* es el plural de *la*.
La palabra *unos* es el plural de *un*. La palabra *unas* es el plural de *una*.

Cierra *los* ojos. Levanta *una* mano. Levanta *las* dos.

Los medios de transporte

Se han inventado distintos medios de transporte. Los medios de transporte son los vehículos que nos llevan de un lugar a otro. Pueden ser terrestres, aéreos o marítimos.

Los medios de transporte terrestre son el carro (que también se llama automóvil o coche), el autobús, las camionetas o camiones, la bicicleta, el tren y el metro.

Los medios de transporte aéreo son el avión, la avioneta, los helicópteros y las naves espaciales.

Los medios de transporte marítimo o acuático son el barco, el ferry, el submarino, la lancha, la canoa y otras embarcaciones parecidas.

Inventos y más inventos

Gracias a los inventos, podemos avanzar cada día más. Algunos de estos inventos han servido al desarrollo del transporte. El ingeniero alemán Karl Benz presentó el primer automóvil de la historia en 1885. En 1888, Isaac Peral echó a andar un submarino que tenía motor y un periscopio para ver la superficie. ¡Por fin un vehículo podía permanecer bajo el mar durante más de una hora! En 1903, los hermanos Wright volaron el primer avión con motor.

Contesta

1. ¿Qué tipo de texto leíste?
   Leí un texto...
   a. divertido. b. informativo. c. persuasivo.

2. ¿De qué trata el texto?
   Trata de...
   a. inventos. b. transportes. c. inventores.

3. Si la palabra *terrestre* proviene de *tierra*, ¿de qué palabra proviene *aéreo*?
   Aéreo proviene de...
   a. agua. b. tierra. c. aire.

4. Di con qué oración comenzarías un resumen del texto.
   a. Algunos inventos han servido para mejorar los medios de transporte.
   b. Los vehículos nos llevan de un lugar a otro.
   c. Isaac Peral inventó un submarino electrónico en 1888.

5. ¿Qué medio de transporte usas para venir a la escuela?

ACTIVIDAD

- Reúne las respuestas de la pregunta 5 en una gráfica de barras que muestre qué medios de transporte usa tu clase para venir a la escuela. Fíjate en este ejemplo.

¿Cómo venimos a la escuela?

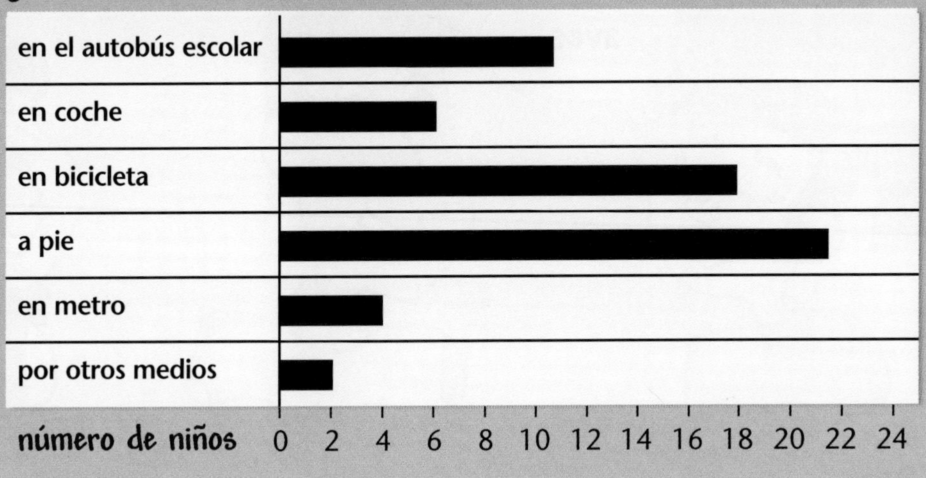

en el autobús escolar
en coche
en bicicleta
a pie
en metro
por otros medios

número de niños 0 2 4 6 8 10 12 14 16 18 20 22 24

De La Habana ha llegado un barco cargado de...

- Los medios de transporte también se usan para llevar carga de un lugar a otro. Juega con tus compañeros a nombrar todo lo que un barco puede llevar.

Cómo se transporta mi familia

1. Lee qué escribió Matt.

Yo voy a la escuela
en bicicleta. Mi papá va
a la oficina en tren. Su
oficina está en otra ciudad.
Mi mamá va en carro al hospital donde
trabaja. Los fines de semana mi papá nos
lleva en carro a la playa o al cine.

2. Comenta con tus compañeros de qué trata el texto anterior.

3. Piensa en tu familia. Haz una lista de las palabras que puedas necesitar para escribir cómo se transporta. Si quieres, inventa lo que vas a escribir. Por ejemplo, puedes imaginar que tú vas a la escuela en helicóptero. También puedes imaginar que tu mamá los lleva en una nave espacial a Marte los fines de semana.

4. Escribe tu párrafo.

5. Lee tu párrafo a un(a) compañero(a). Luego revisa y corrige tu párrafo.

6. Presenta tu párrafo a la clase.

Vehículos

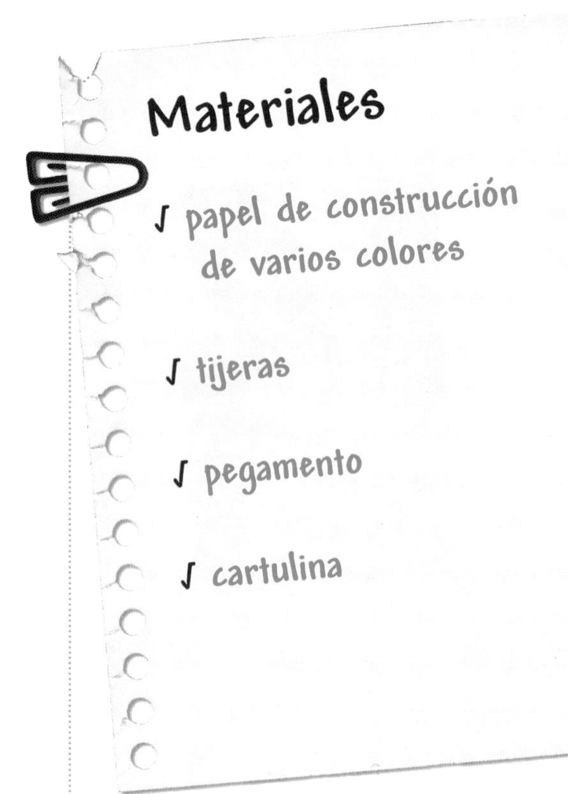

¡Manos a la obra!

1. Con tus compañeros, recorta figuras geométricas de distintos colores y tamaños: círculos, cuadrados, triángulos y rectángulos.

2. Escoge figuras para formar un vehículo.

3. Pega tu vehículo en una cartulina.

4. Piensa en un nombre para tu vehículo y escríbelo en la cartulina.

Tiempo y clima

En esta unidad vas a:

- enterarte de cómo nuestros amigos obtienen información sobre el tiempo.
- aumentar tu vocabulario para conversar sobre el tiempo y el clima.
- practicar el verbo *tener* y sus usos.
- expresar fechas, como la fecha de tu cumpleaños.
- leer ejemplos de cómo nos afecta el clima.
- jugar a las adivinanzas.
- escribir sobre el clima en tu comunidad.
- demostrar cómo ocurren las estaciones.

¿Cómo está el tiempo?

Las condiciones del tiempo

Es primavera.
Hace buen tiempo.

Es verano.
El niño tiene calor.

Es otoño.
Hace viento.

Es invierno.
La niña tiene frío.

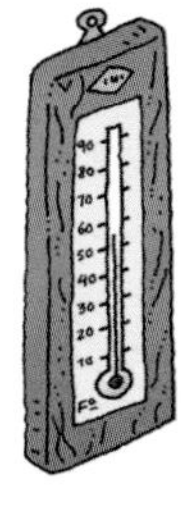

la temperatura

el viento

la lluvia

la nieve

la tormenta

El pronóstico del tiempo

Nueva York

Día parcialmente nublado.
Temperaturas: 55° F mínima. 70° F máxima.
Vientos: del este a 10 millas por hora.

Madrid

Día soleado.
Temperaturas: 13° C mínima. 19° C máxima.
Vientos: del norte a 15 kilómetros por hora.

En los países hispanos la temperatura se mide en grados Celsius y la velocidad del viento en kilómetros.

El verbo *tener* y sus usos

- Escucha y observa.

Tengo zapatos nuevos.

Esa niña **tiene** unos zapatos muy brillantes.

Tenemos una computadora vieja.

Mis abuelos **tienen** una mascota gigante.

Tener es un verbo irregular. Éstas son sus formas.

(yo)	**tengo**	(nosotros, –as)	**tenemos**
(tú)	**tienes**		
(él, ella)	**tiene**	(ellos, ellas)	**tienen**
(usted)	**tiene**	(ustedes)	**tienen**

Ejemplos:

¿Está enferma la maestra? ¿Qué **tiene**? — **Tiene** un resfriado
¿Cuántos hermanos **tienes**? — **Tengo** dos hermanos.

La edad y algunas sensaciones se expresan con el verbo *tener*:

Tengo nueve años.
¿Cuántos **tienes** tú?

Está nevando.
¿**Tienes** frío?

El señor Gómez **tiene** sueño.
Está cansado.

¿Cuántos hermanos y hermanas tienes?

Expresar fechas

- Escucha y observa.

Es el cumpleaños de una amiga.
Ahora tiene diez años.
Su cumpleaños es el 15 de septiembre.

¿Cuándo es tu cumpleaños?

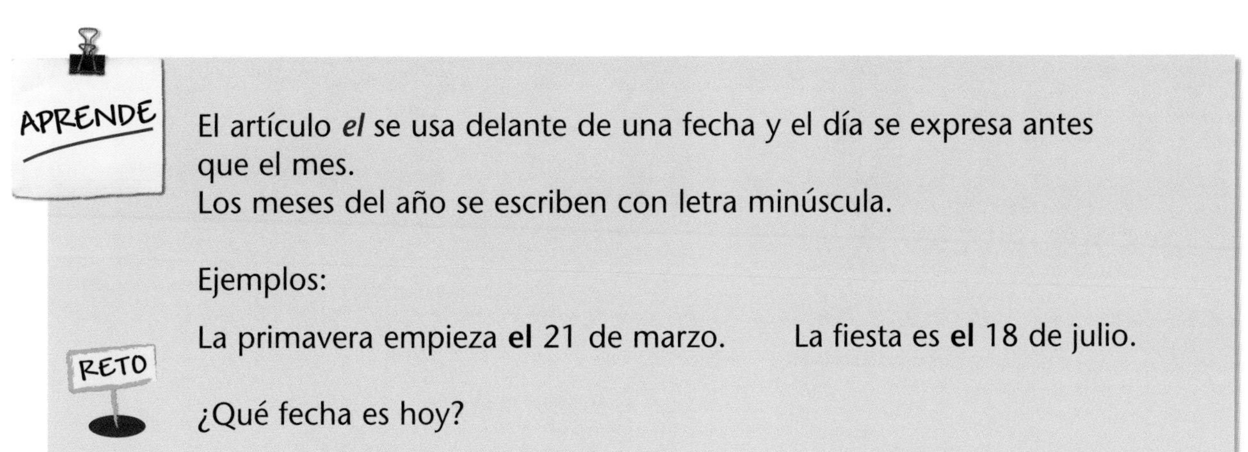

El artículo *el* se usa delante de una fecha y el día se expresa antes que el mes.
Los meses del año se escriben con letra minúscula.

Ejemplos:

La primavera empieza **el** 21 de marzo.

La fiesta es **el** 18 de julio.

¿Qué fecha es hoy?

Nos adaptamos al clima

Los elementos del tiempo que se observan durante períodos largos forman el clima de una región o lugar. Estos elementos son la temperatura, la humedad, la precipitación, la presión atmosférica y el viento.

Cuando hace frío, nos ponemos un suéter. Si hace calor, ¡qué bien estamos con pantalón corto en la playa! Siempre usamos la ropa de acuerdo a la temperatura.

Nuestras casas también están hechas según el clima donde vivimos.

En las regiones calurosas, las casas se pintan de blanco porque el color blanco refleja la luz y no deja pasar el calor.

En las regiones donde cae mucha nieve, los tejados de las casas están muy inclinados para que la nieve resbale fácilmente.

En las regiones lluviosas, las casas tienen puertas y ventanas de cristal para proteger de la lluvia y absorber el sol.

En las regiones frías, las casas tienen grandes muros de piedra y pequeñas ventanas para que no entre el frío.

Contesta

1. ¿Qué explica el texto expositivo que leíste?
   Explica...
   a. cómo es el clima.
   b. cómo influye el clima en nuestras vidas.
   c. cómo viven las personas.

2. ¿Cuál de los siguientes elementos no es parte del clima?
   a. La playa. b. La temperatura. c. El viento.

3. La lluvia y la nieve son ejemplos de...
   a. la presión atmosférica.
   b. la precipitación.
   c. la humedad ambiental.

4. Explica por qué estas palabras que aparecen en el texto son cognados.
   a. Temperatura. b. Regiones. c. Influencia.

5. ¿Qué ropa usas en invierno? ¿Y en verano?

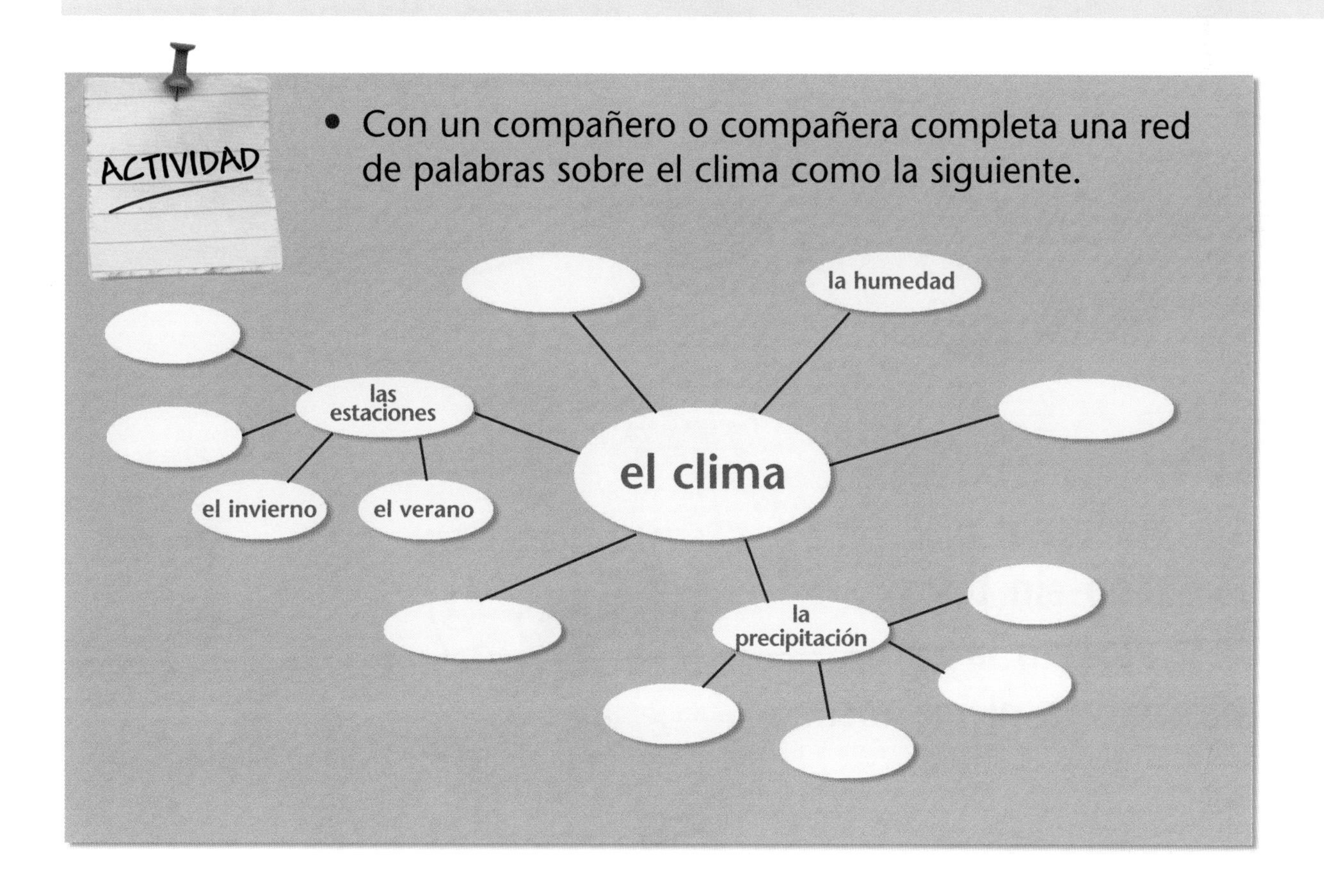

- Con un compañero o compañera completa una red de palabras sobre el clima como la siguiente.

Adivina, adivinador

Del cielo bajo a la tierra;
de la tierra subo al cielo.
Si no te quitas, te mojo.

Salgo cuando llueve
y al mismo tiempo hace sol.
Formo colores.
¿Adivina quién soy?

Vuelo sin alas,
silbo sin boca,
te doy en la cara
y no me ves ni me tocas.

El verano y el invierno

1. Armando vive en Buenos Aires. Lee qué escribió sobre el clima en su país.

Cuando llega diciembre se acaba la escuela y salgo de vacaciones. En enero, la temperatura llega a los 30 grados. Eso es mucho calor.

El verano es mi estación favorita porque visitamos a mis tíos. Ellos viven en una estancia o rancho en el campo, que llamamos la pampa.

En el invierno, la temperatura promedio en el mes de julio es de 10 grados. No nieva porque la temperatura no baja a cero.

Lo que más me gusta hacer en invierno es dormir bien abrigado para no tener frío. Lo que no me gusta es tener que levantarme en la oscuridad para ir a la escuela.

2. Comenta con tus compañeros de qué trata el texto anterior.

3. Piensa en cómo son el verano y el invierno donde tú vives. Busca información sobre el clima. Haz una lista de las palabras y frases que puedas necesitar para escribir una composición de cuatro párrafos.

4. Escribe tu composición.
   - En el primer párrafo escribe algo sobre el verano.
   - En el segundo escribe qué te gusta o qué no te gusta del verano.
   - En el tercer párrafo escribe algo sobre el invierno.
   - En el cuarto escribe qué te gusta o no te gusta del invierno.

5. Lee tu composición a un(a) compañero(a). Revisa y corrige tu trabajo. Luego presenta tu composición a la clase.

Cómo ocurren las estaciones

Materiales

- ✓ globo terráqueo
- ✓ linterna o bombillo
- ✓ crayones o marcadores

¡Manos a la obra!

1. Identifiquen en un globo terráqueo los hemisferios norte y sur, los polos y la inclinación del eje imaginario que atraviesa la Tierra.

2. Tomen una linterna (o un bombillo) para representar el sol. Coloquen la linterna como se ve en el dibujo.

   - Observen y contesten:

   a. ¿Qué hemisferio recibe más luz?
   b. ¿Allí es invierno o verano? ¿Por qué?
   c. ¿Qué hemisferio recibe menos luz?
   d. ¿Allí es invierno o verano? ¿Por qué?

3. Ahora imaginen que la Tierra ha girado alrededor del sol durante seis meses.

   - Observen y vuelvan a contestar las preguntas anteriores.

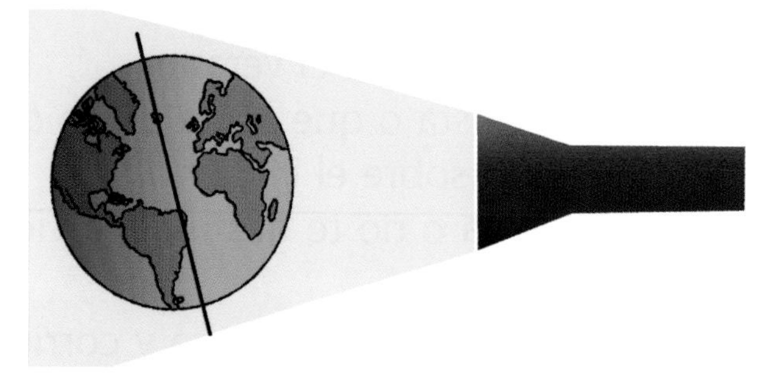

Animales de ayer y hoy

En esta unidad vas a:

- acompañar a nuestros amigos a un museo de historia natural.
- aumentar tu vocabulario para describir animales, especialmente dinosaurios y mascotas.
- aprender a usar palabras llamadas *adjetivos*, que expresan cómo son y cómo están las personas, animales y cosas.
- leer sobre los dinosaurios.
- jugar a decir trabalenguas.
- escribir acerca de una mascota.
- imitar cómo se forma un fósil.

En el Museo de Historia Natural

Hace millones de años vivían en la Tierra unos animales extraordinarios que llamamos dinosaurios.
Aquí vemos dinosaurios herbívoros. Herbívoros son animales que comen plantas.
Los dinosaurios herbívoros eran cuadrúpedos, o sea de cuatro patas.
¡Y miren qué cuello tan largo!
Con ese cuello podían alcanzar las hojas de plantas muy altas.
Había otro grupo de dinosaurios carnívoros. Los carnívoros eran bípedos, o sea de dos patas, como este tiranosaurio.
El tiranosaurio cazaba dinosaurios herbívoros, ¿verdad?
¡Era terrible! Tenía dientes afilados, garras mortales... Era uno de los dinosaurios más fuertes.

Conversemos

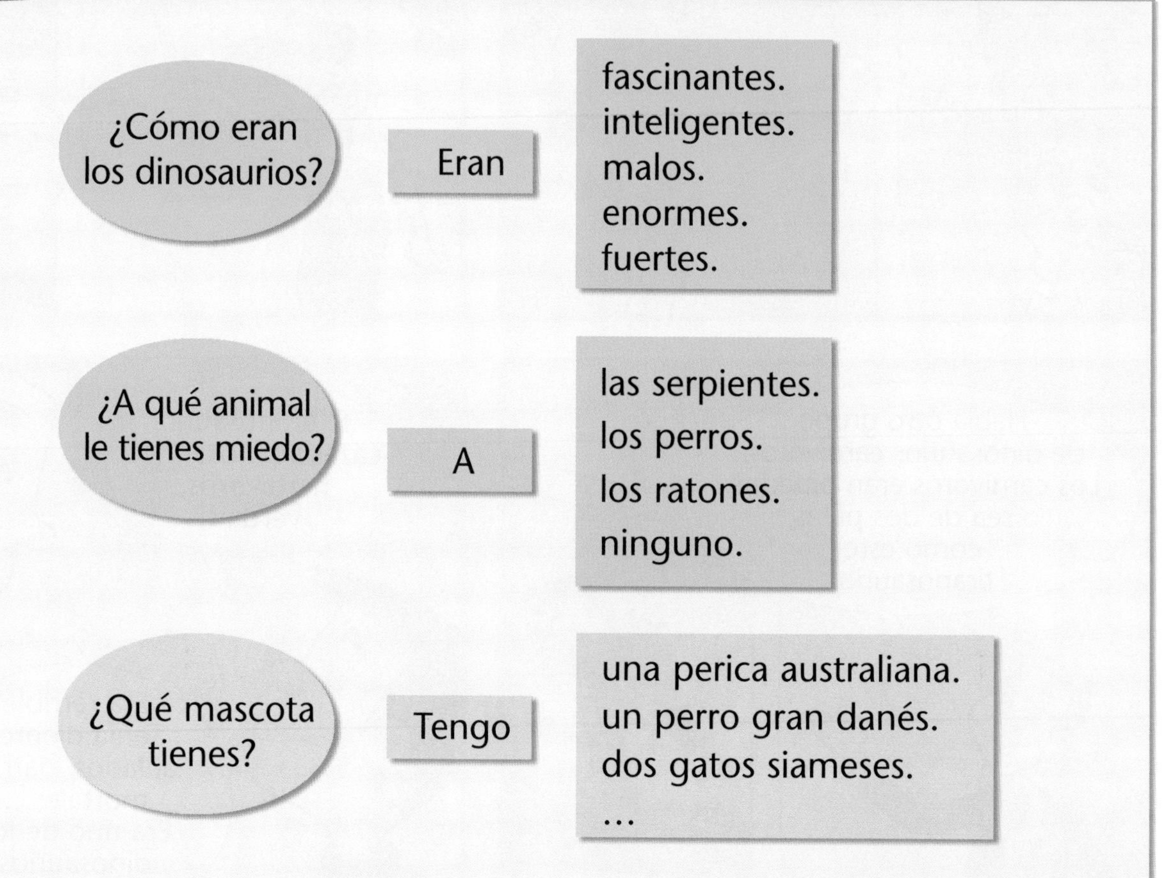

Algunos animales

La jirafa es alta.

La perica es verde.

El tiburón es peligroso.

El perro es cariñoso.

- Escucha el sonido de la letra *r* en las palabras subrayadas.

La perica come peras.

¡Qué carita tan bonita!

Rita tiene dos perras.

Arturo gana la carrera.

Generalmente la letra *r* representa el sonido simple */r/*, pero al comienzo de una palabra, el sonido que representa es múltiple */rr/*.
Cuando la letra *r* aparece repetida entre dos vocales, también representa el sonido múltiple */rr/*.

El adjetivo y la concordancia

- Escucha y observa.

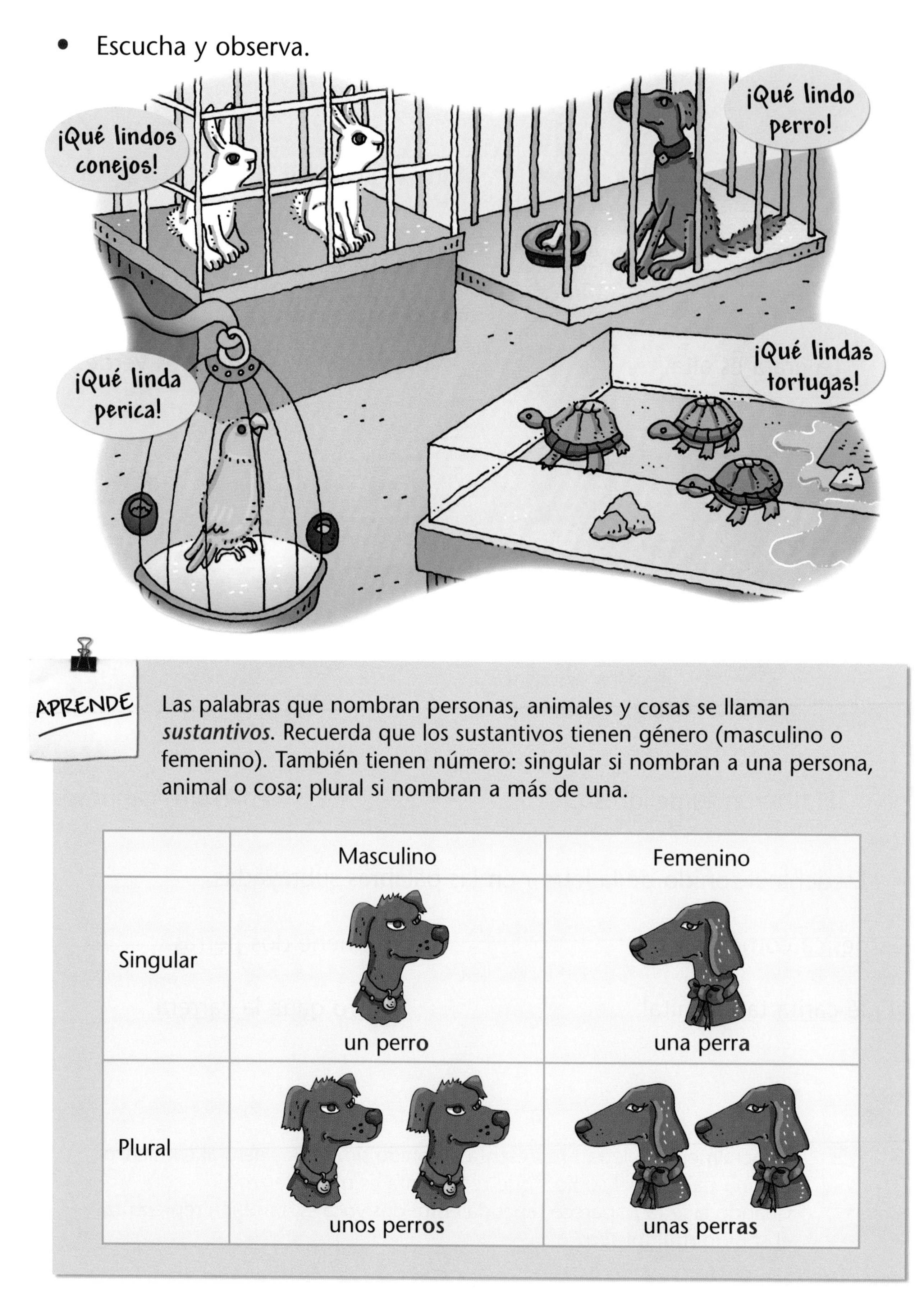

APRENDE

Las palabras que nombran personas, animales y cosas se llaman ***sustantivos***. Recuerda que los sustantivos tienen género (masculino o femenino). También tienen número: singular si nombran a una persona, animal o cosa; plural si nombran a más de una.

	Masculino	Femenino
Singular	un perro	una perra
Plural	unos perros	unas perras

Las palabras que describen cómo son o cómo están las personas, animales y cosas se llaman ***adjetivos***. Deben coincidir en género y número con el sustantivo a que se refieren. Fíjate en cómo terminan los adjetivos subrayados.

	Masculino	Femenino
Singular	un perro lindo y muy inteligente	una perra linda y muy inteligente
Plural	unos perros lindos y muy inteligentes	unas perras lindas y muy inteligentes

Si la forma masculina del adjetivo termina en *–o*, la forma femenina termina en *–a*.
Si el adjetivo termina en *–e* las formas masculina y femenina no cambian.

Otros adjetivos:

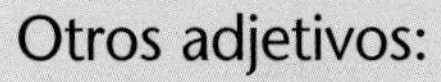

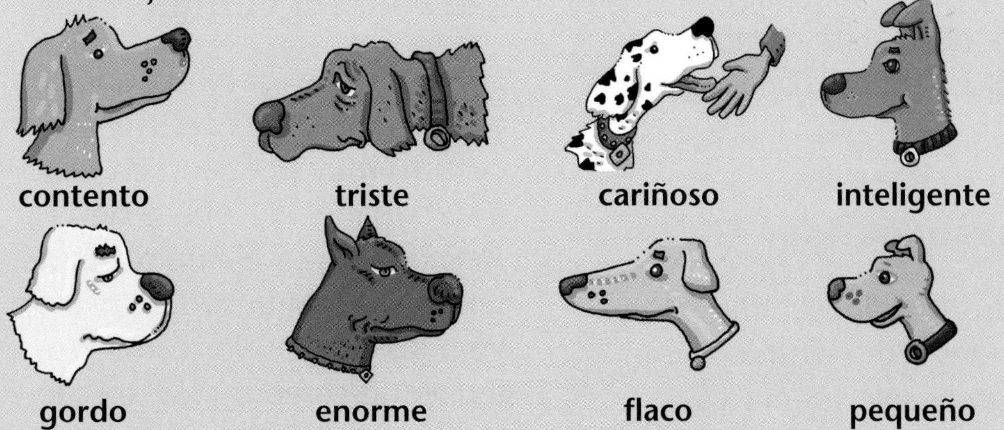

CUIDADO

A diferencia del inglés, los adjetivos casi siempre van después del sustantivo a que se refieren. Los adjetivos que expresan cantidad u orden son una excepción: se colocan antes del sustantivo, como en inglés.

Ejemplos:

Me gusta sentarme en la **primera** fila.
Micaela tiene dos pericas **verdes** y cuatro conejos **pequeños**.

RETO

Di cómo eran los dinosaurios. Usa todos los adjetivos que puedas.

Los dinosaurios

¿Qué significa la palabra *dinosaurio*?

La palabra *dinosaurio* significa "lagarto terrible". Este nombre fue inventado por un científico inglés.

¿Eran muy grandes los dinosaurios?

No todos los dinosaurios eran grandes. Por ejemplo, el *Microraptor* sólo medía 16 pulgadas de largo. El *Diplodocus*, en cambio, era del tamaño de dos autobuses, uno detrás de otro.

Sin duda, el más terrible de todos los dinosaurios era el imponente *Tyrannosaurus* o tiranosaurio, tan alto como un edificio de tres pisos. Tenía dientes muy afilados del tamaño de un bolígrafo.

¿Eran inteligentes?

Parece que los dinosaurios no eran muy inteligentes. Tenían un cerebro muy pequeño en relación a su tamaño. El cerebro del *Diplodocus*, por ejemplo, era del tamaño de un huevo de gallina. Pero los dinosaurios carnívoros tenían un cerebro más grande y eran más inteligentes.

¿Por qué desaparecieron?

Los científicos piensan que los dinosaurios desaparecieron porque el clima de la Tierra cambió. La tierra era caliente, pero empezó a hacer frío. Hizo demasiado frío para los dinosaurios.

Contesta

1. ¿De dónde era el científico que inventó el nombre *dinosaurio*? Era de...
   - a. España.
   - b. Inglaterra.
   - c. Irlanda.

2. ¿Qué dinosaurio era muy largo?
   - a. El *Diplodocus*.
   - b. El *Microraptor*.
   - c. El *Tyrannosaurus*.

3. El tiranosaurio era un animal...
   - a. pequeño.
   - b. bueno.
   - c. peligroso.

4. Los dinosaurios probablemente desaparecieron porque...
   - a. comenzó a hacer mucho calor.
   - b. los carnívoros se comieron a los herbívoros.
   - c. comenzó a hacer mucho frío.

5. ¿Te gustaría haber vivido en la época de los dinosaurios? ¿Por qué sí o por qué no?

ACTIVIDAD

- Investiga las características de otros dinosaurios. Consulta la Internet u otras fuentes. Luego completa una ficha sobre un dinosaurio con la siguiente información:

Nombre
Tamaño en pies o pulgadas
Alimentación
Característica principal
Lugar donde se han encontrado restos

¿Listos para un trabalenguas?

- Prueba a decir rápido estos trabalenguas. Túrnate con tus compañeros, a ver quién los dice más rápido.

En Dinamarca anduvo
el dinosaurio Dino.
El dinosaurio Dino
anduvo en Dinamarca.

La pícara pájara pica
en la típica jícara.
En la típica jícara
pica la pícara pájara.

El dragón tragón
tragó carbón
y quedó panzón.
¡Qué dragón tan tragón!

Erre con erre cigarra,
erre con erre barril.
¡Qué rápido corren los carros
por los rieles del ferrocarril!

Mi mascota

1. Lee qué escribió María acerca de su gato.

Mi gato se llama Moli. Tiene tres años. Es pequeño, negro, con el pecho blanco. Tiene el pelo suave, ojos verdes y bigotes largos. A Moli le gusta jugar en el patio. Es un gato muy cariñoso. A veces se escapa y no está cuando regreso de la escuela. Entonces lo llamo con un chiflido y aparece.

Esta foto de Moli la tomé yo.

2. Comenta con tus compañeros de qué trata el texto anterior.

3. Piensa en tu mascota. Si no tienes mascota, piensa en una que te gustaría tener, por ejemplo:

Haz una lista de las palabras y frases que puedas necesitar para describir cómo es.

4. Escribe la descripción de tu mascota. Incluye un dibujo o una foto. Compártela con un(a) compañero(a). Revisa y corrige tu trabajo.

5. Lee tu descripción a tu clase.

Imitar la formación de un fósil

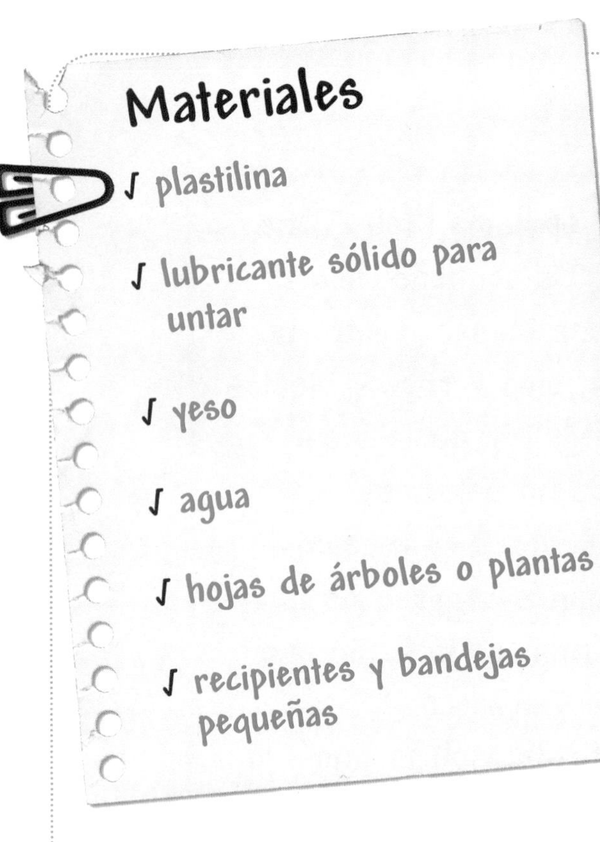

¡Manos a la obra!

1. Unten una hoja con el lubricante.

2. Opriman con cuidado la hoja sobre un trozo de plastilina.

3. Hagan una mezcla de yeso y agua.

4. Coloquen el molde en una bandeja. Cúbranlo con la mezcla de yeso.

5. Dejen que el yeso se ponga duro. Luego retiren la plastilina y la hoja. Observen la huella que deja la hoja en el yeso.

Un poco de historia mexicana

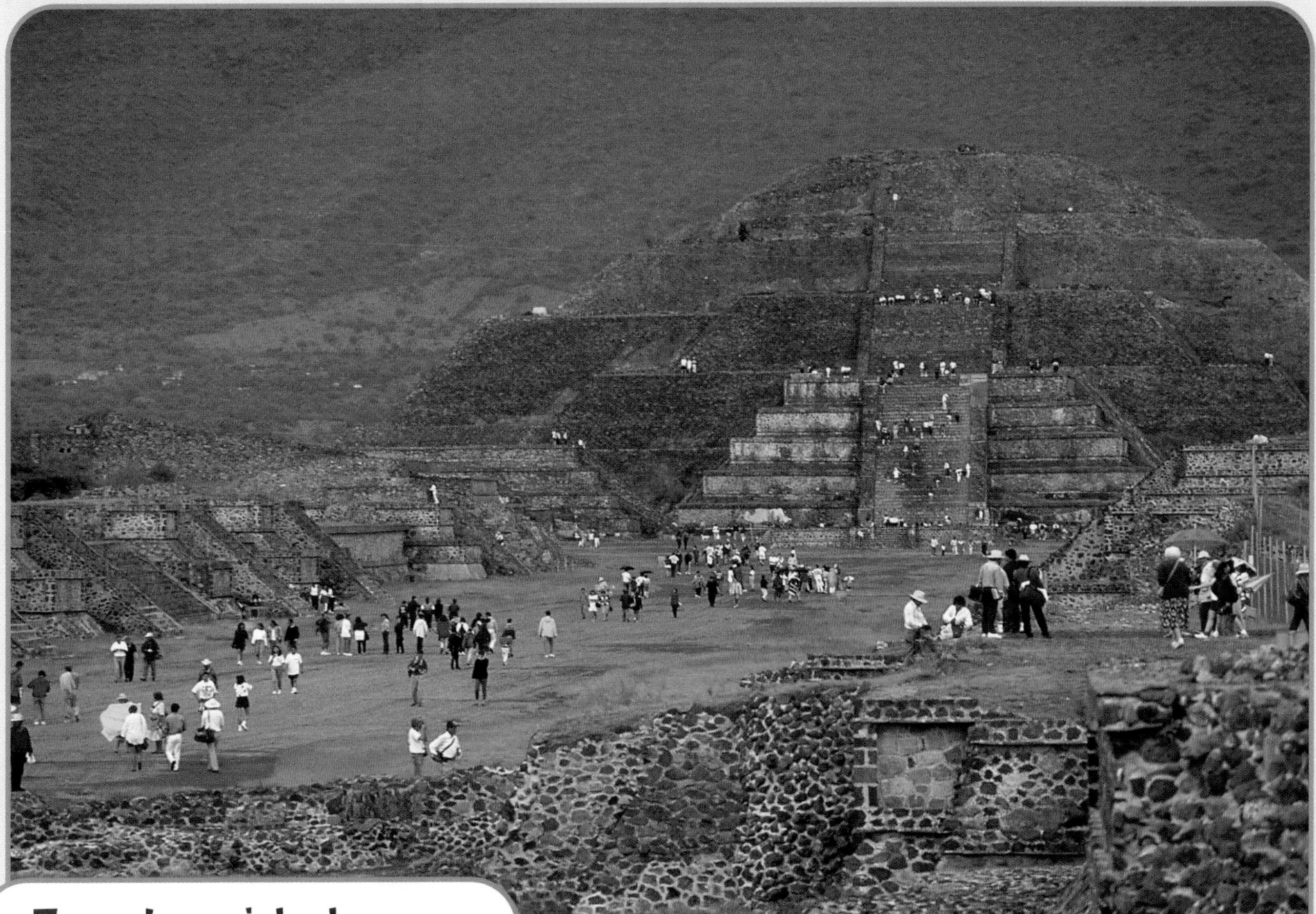

En esta unidad vas a:

- acompañar a nuestros amigos en un viaje a las pirámides de Teotihuacan.
- practicar preguntas con palabras interrogativas.
- practicar los verbos *querer* y *poder*.
- practicar cómo se expresan los años.
- leer acerca de Hernán Cortés, el conquistador de México.
- seguir instrucciones en el plano de un pueblo.
- escribir una entrevista imaginaria.
- trazar una ruta histórica en un mapa.

Camino a Teotihuacan

Sr. Gómez, mi abuela dice que Teotihuacan está sólo a 50 kilómetros de donde ella vive, que es en la ciudad de México.
¿Cuánto es eso en millas?
Eso lo sé yo. Son 30 millas, más o menos.
¡Ah!, entonces no le llevará mucho tiempo llegar. Puede tomar un autobús.
¿Qué hay en Teotihuacan?
Mi abuela me dijo que allí hay unas pirámides famosas.
Teotihuacan es un lugar misterioso, una ciudad que fue abandonada unos 800 años antes de la llegada de los españoles a México.
Hay dos pirámides: la Pirámide del Sol y la Pirámide de la Luna.
Miren, ésta es la Pirámide del Sol.

Conversemos

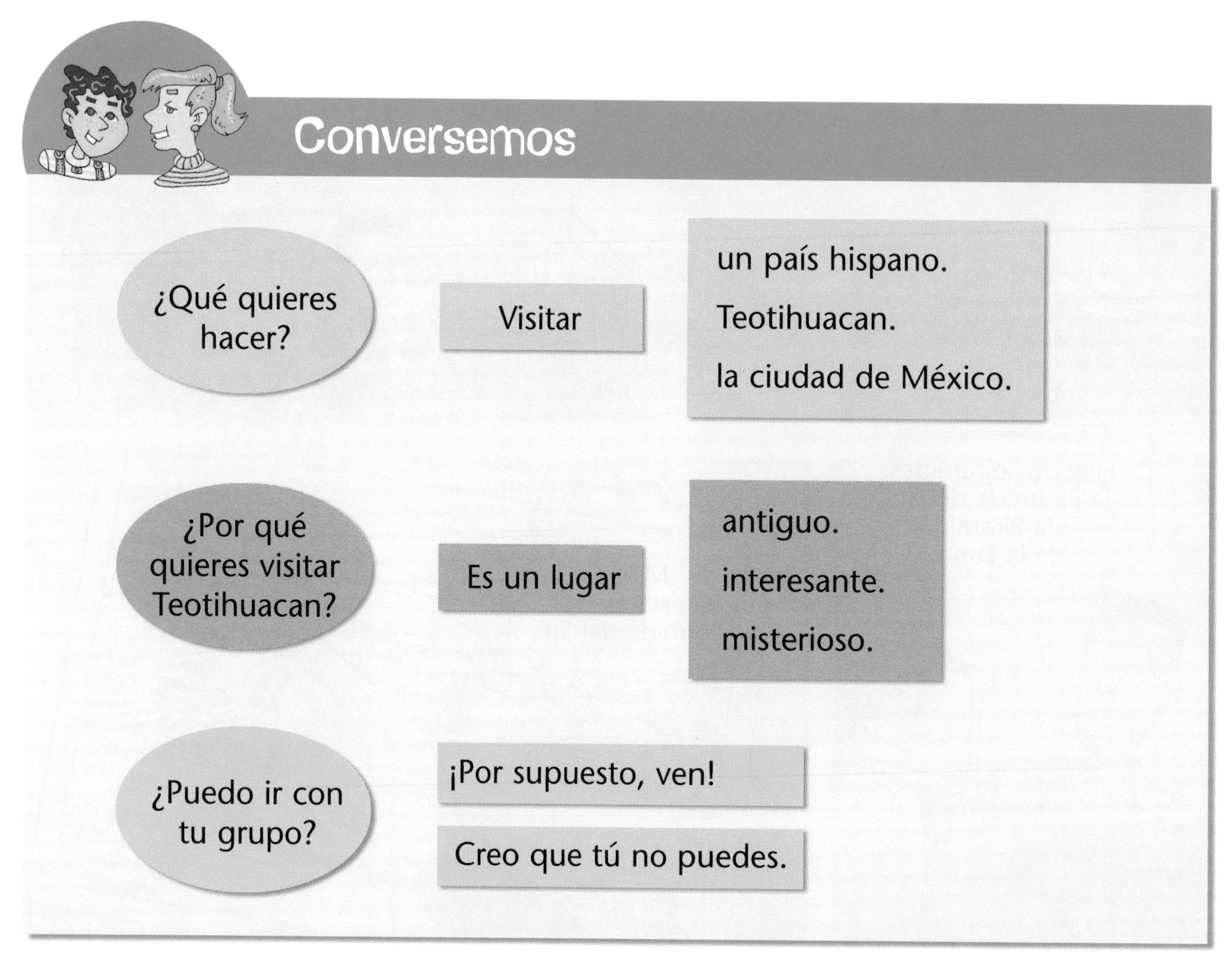

Teotihuacan: preguntas y respuestas

¿Qué pirámide es ésta?	Es la Pirámide de la Luna.
¿Dónde está?	En Teotihuacan, México.
¿Cómo se llega a ese lugar?	En autobús o en coche.
¿Quién vive allí?	Nadie vive en una pirámide.
¿Quiénes construyeron la pirámide?	Los teotihuacanos.
¿Cuándo la construyeron?	Hace dos mil años.
¿Por qué tomaste esta foto?	Yo no la tomé.

APRENDE

En español hay dos signos de interrogación. Uno va al comienzo de la pregunta y se escribe ¿. El otro va al final de la pregunta y se escribe ?. Las palabras interrogativas *¿qué?*, *¿dónde?*, *¿cómo?*, etc. se escriben con acento.

CUIDADO

No confundas las palabras *ésta* y *está*. En la unidad 3 aprendiste que *está* es una forma del verbo *estar*. Observa que *ésta* se acentúa en la primera sílaba. Equivale a *this one* en inglés.

Los verbos *querer* y *poder*

- Escucha y observa.

¿Qué **quiere** Isabel?
Isabel **quiere** subir.

Isabel no **puede** subir.
¿Por qué no **puede** subir?

¿Qué **quieren** los Tigres?
Los Tigres **quieren** ganar.

Los Tigres no **pueden** ganar.
¿Por qué no **pueden** ganar?

APRENDE

Querer es un verbo irregular. Fíjate como cambia de *quer–* a *quier–*.

(yo)	quiero	(nosotros, –as)	queremos
(tú)	quieres		
(él, ella)	quiere	(ellos, ellas)	quieren
(usted)	quiere	(ustedes)	quieren

Ejemplos:

Queremos ir a México. ¿**Quieres** jugar ahora o más tarde?

Poder es otro verbo irregular. Fíjate como cambia de *pod–* a *pued–*.

(yo)	pue**do**	(nosotros, –as)	pode**mos**
(tú)	pue**des**		
(él, ella)	pue**de**	(ellos, ellas)	pue**den**
(usted)	pue**de**	(ustedes)	pue**den**

Ejemplos:

¿**Puedo** usar el teléfono? **Podemos** llegar antes y ganar.

RETO

¿Quieres un coche para tu cumpleaños? ¿Puedes manejarlo?

Expresar el año

- Escucha y observa.

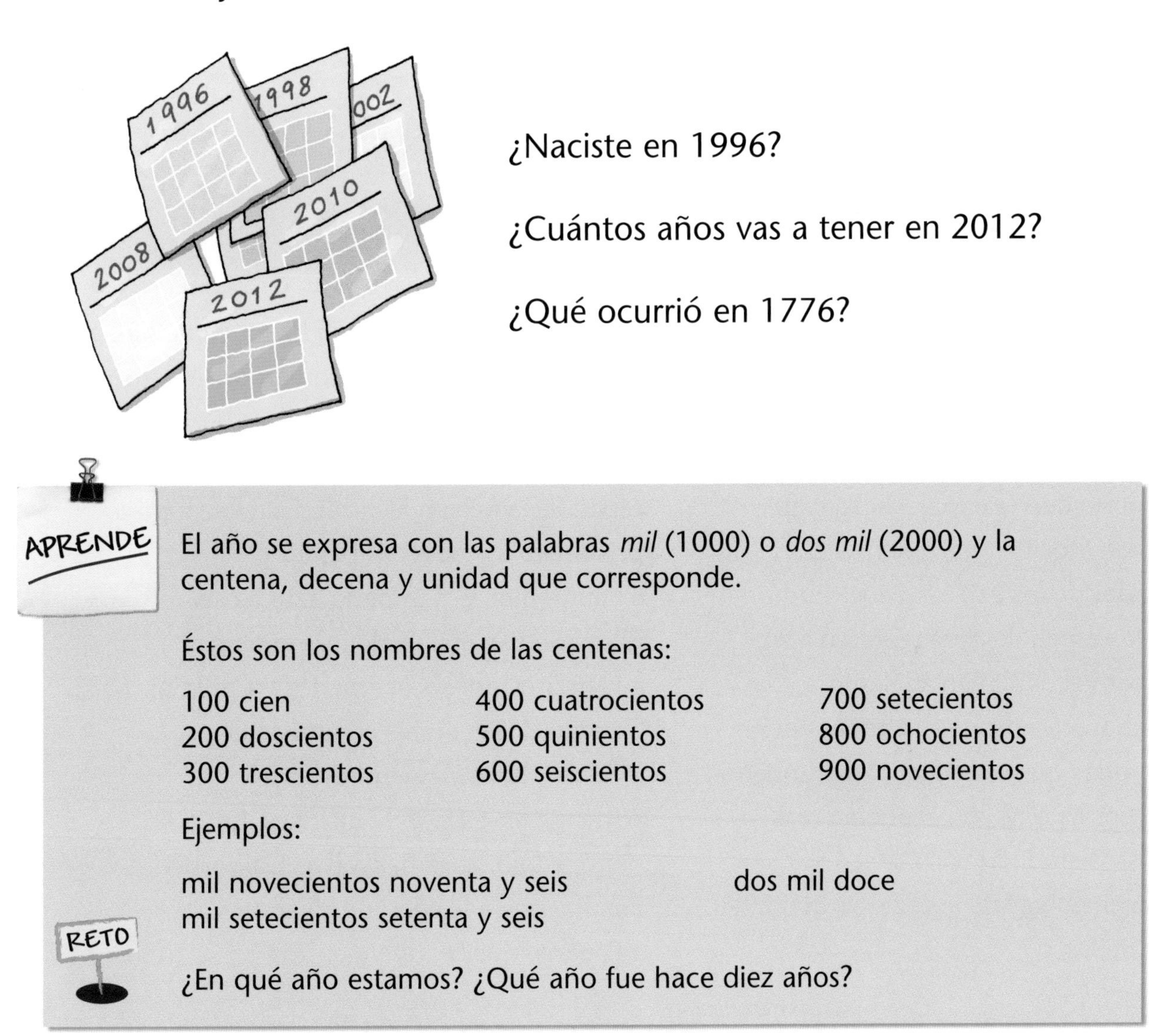

¿Naciste en 1996?

¿Cuántos años vas a tener en 2012?

¿Qué ocurrió en 1776?

APRENDE

El año se expresa con las palabras *mil* (1000) o *dos mil* (2000) y la centena, decena y unidad que corresponde.

Éstos son los nombres de las centenas:

100 cien	400 cuatrocientos	700 setecientos
200 doscientos	500 quinientos	800 ochocientos
300 trescientos	600 seiscientos	900 novecientos

Ejemplos:

mil novecientos noventa y seis
mil setecientos setenta y seis

dos mil doce

RETO

¿En qué año estamos? ¿Qué año fue hace diez años?

Hernán Cortés

Hernán Cortés, el conquistador de México, nace en Medellín, España, en el año 1485. A la edad de 19 años se va a vivir al Caribe, en la isla donde hoy está la República Dominicana. Esa isla es una colonia española.

En 1511, los españoles conquistan Cuba. Cortés participa en esa conquista, que es comandada por Diego de Velázquez. Luego Velázquez pasa a ser el primer gobernador de Cuba.

Velázquez quiere continuar la expansión del imperio español y pide a Hernán Cortés organizar una expedición para conquistar México. Cortés prepara todo. El 18 de febrero de 1519 sale de Cuba con 11 barcos en los que van más de 500 soldados y 100 marineros. La expedición navega por las costas de la península de Yucatán.

Más tarde, los españoles desembarcan en el puerto de Veracruz. Allí reciben regalos de Moctezuma, quien es el emperador de los aztecas. Moctezuma pide a los españoles que regresen a su tierra, pero ellos siguen adelante.

Ahora Cortés dirige sus tropas hacia Tenochtitlan, que es la capital del imperio azteca. Los aztecas son el pueblo más poderoso de todo México. Otros pueblos que son enemigos de los aztecas ayudan a los españoles.

El 8 de noviembre de 1519, los españoles entran en Tenochtitlan y toman prisionero a Moctezuma. En 1521, después de varias batallas, Cortés refuerza sus tropas. Los españoles vuelven a atacar. Esta vez toman prisionero al nuevo emperador Cuauhtémoc y el imperio azteca cae. El rey de España, Carlos V, nombra a Hernán Cortés Gobernador y Capitán General de las tierras conquistadas.

En los años siguientes, Cortés participa en otras expediciones. En 1535, por ejemplo, llega hasta Baja California. Finalmente, a la edad de 55 años, vuelve a España, donde muere en 1547.

Contesta

1. ¿Qué es el texto que leíste?
   a. Una fantasía sobre la conquista de México.
   b. Una pequeña biografía de Hernán Cortés.
   c. Una leyenda azteca.
   d. Una fábula.

2. Cortés sale de España...
   a. con Diego de Velázquez.
   b. cuando tiene 19 años.
   c. cuando tiene 55 años.
   d. con 500 soldados.

3. Cuando Cortés llega a México en 1519, ¿quién es el emperador azteca?
   a. Velázquez b. Cuauhtémoc c. Moctezuma d. Carlos V

4. Cortés muere en...
   a. Baja California.
   b. España.
   c. Cuba.
   d. la República Dominicana.

5. ¿Cuáles pares de palabras tienen significados opuestos o contrarios?
   a. *tierras–islas*
   b. *nace–muere*
   c. *amigos–enemigos*
   d. *pueblos–tropas*

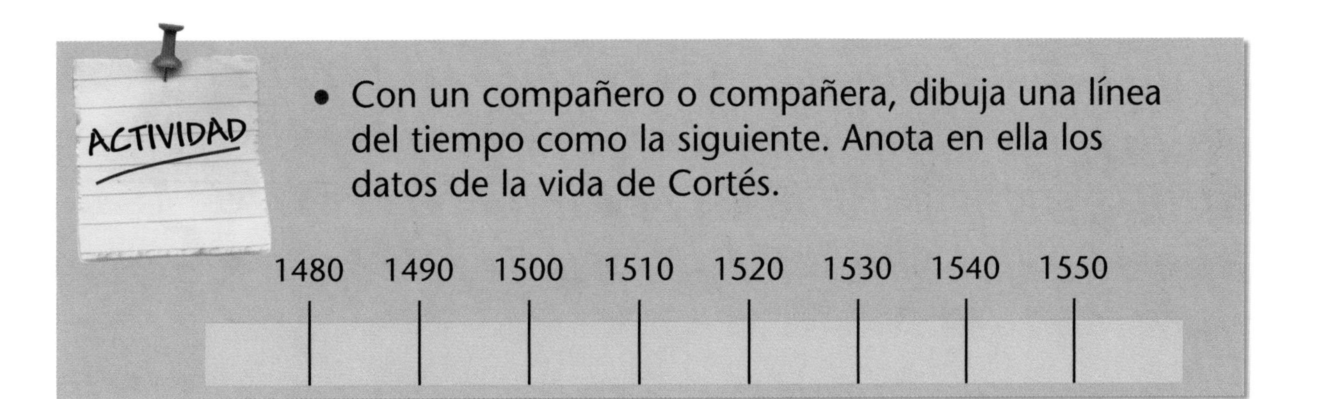

- Con un compañero o compañera, dibuja una línea del tiempo como la siguiente. Anota en ella los datos de la vida de Cortés.

¡No te pierdas!

- La clase salió de excursión a un pueblo. Los estudiantes viajaron en tren. Al llegar a la estación, la maestra formó dos equipos y dio a todos copias del mapa del pueblo. ¿Adónde llegó cada equipo? Usa el mapa para averiguarlo. Sigue las instrucciones de cada equipo.

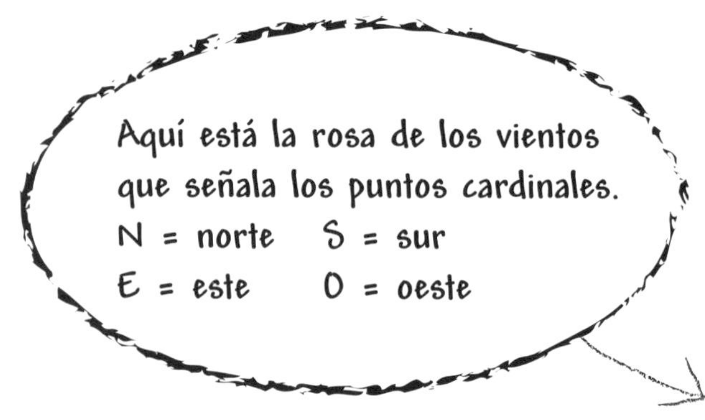

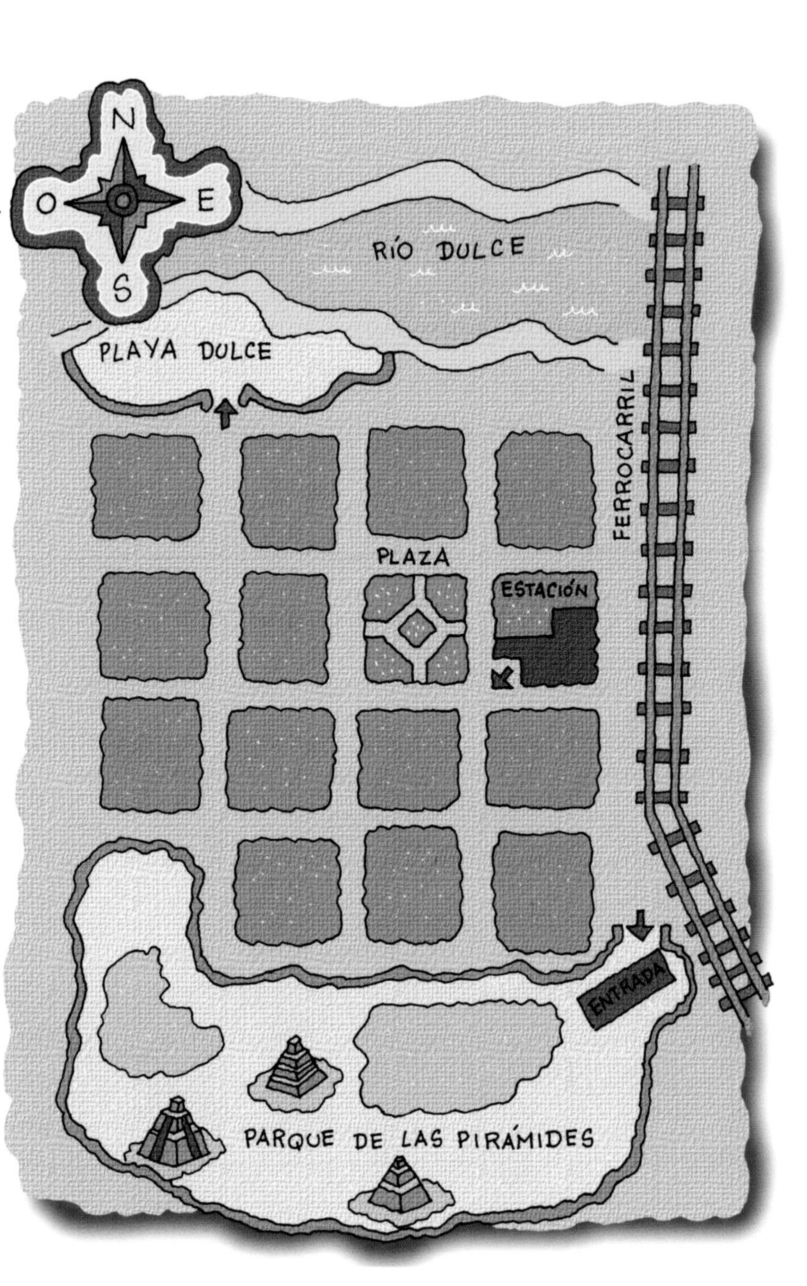

Equipo A

Al salir de la estación, el equipo A debe caminar 1 cuadra hacia el norte, 2 cuadras hacia el oeste y 1 cuadra hacia el norte otra vez.

Equipo B

Al salir de la estación, el equipo B debe caminar 1 cuadra hacia el sur, 1 cuadra hacia el este y 1 cuadra hacia el sur otra vez.

Una entrevista

1. Claudia escribe para el periódico de su escuela. Se imagina entrevistar a Moctezuma. Lee su entrevista.

Claudia: ¿Sabe usted quiénes son las personas que llegaron a la costa?

Moctezuma: No sé. No sabemos si son amigos o enemigos.

Claudia: ¿Cómo dicen los mensajeros que son estas personas?

Moctezuma: Los mensajeros dicen que nunca han visto a estos hombres.

Claudia: ¿Irá usted a conocerlos?

Moctezuma: No, pero voy a mandar regalos y pedir que regresen a su tierra.

Claudia: Algunas personas piensan que los desconocidos nos van a atacar. ¿Qué cree usted?

Moctezuma: Yo no lo creo. Cuando regresen a su tierra, nosotros vamos a vivir en paz.

Claudia: Eso es lo que queremos todos. Muchas gracias por la entrevista y sus respuestas a estas importantes preguntas.

2. Comenta con tus compañeros de qué trata el texto anterior. Observa cómo una entrevista es una conversación entre dos personas. El *entrevistador* o *entrevistadora* es la persona que hace las preguntas. El *entrevistado* o *entrevistada* es la persona que contesta.

3. Antes de hacer una entrevista es necesario escribir las preguntas que harás. Imagina que vas a entrevistar a Hernán Cortés. Escribe tus preguntas.

4. Ahora, inventa las respuestas.

5. Escribe cada pregunta y su respuesta como si fuera una entrevista real. Luego lee tu entrevista a tus compañeros.

La ruta de Cortés

Materiales

- papel de dibujo
- papel de construcción
- pegamento
- lápiz o pluma
- crayones o marcadores
- atlas o mapas electrónicos

¡Manos a la obra!

1. Dibuja un mapa como éste. Recórtalo y pégalo en una hoja de papel de construcción.

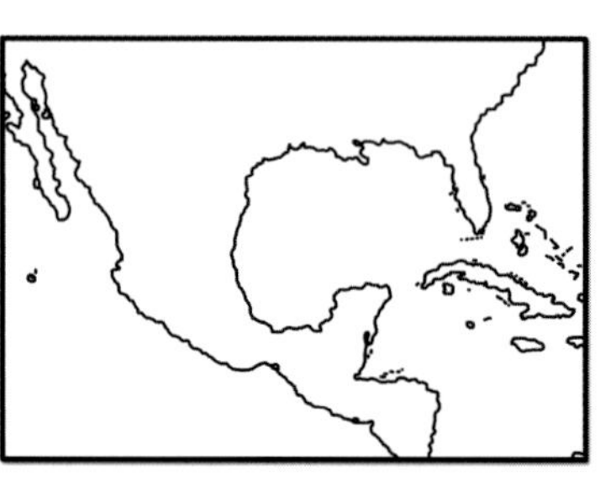

2. Busca en un atlas, una enciclopedia o la Internet un mapa de México y el área del Caribe. Úsalo como fuente de consulta para completar tu mapa.

3. En tu mapa,
- colorea el área que hoy es México, los cuerpos de agua y la isla de Cuba.
- rotula la península de Yucatán.
- rotula los puntos con el nombre de la ciudad que representan: Santiago de Cuba, Veracruz y Tenochtitlan (hoy México).

4. Marca la ruta de Cortés para conquistar a los aztecas:
- Primero sale de Santiago de Cuba hacia la península de Yucatán.
- Después, navega alrededor de la península por el Golfo de México hasta llegar a Veracruz.
- Por último, camina por tierra hasta llegar a Tenochtitlan.

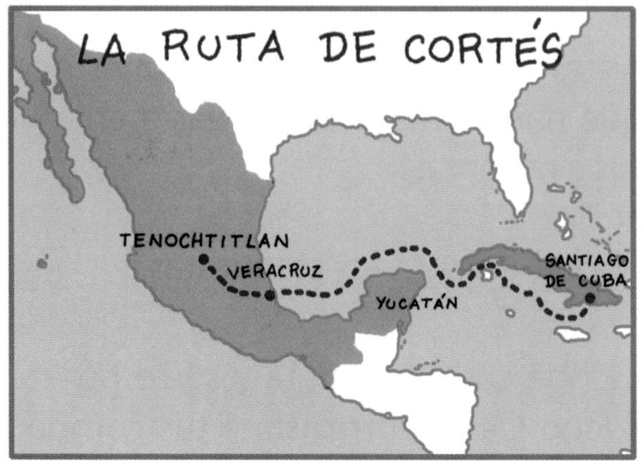

5. Ponle un título a tu mapa.

Música y folklore

En esta unidad vas a:

- acompañar a nuestros amigos en una visita a un pueblo en las montañas de Guatemala.
- aumentar tu vocabulario para conversar sobre la música y los bailes.
- repasar verbos de la segunda conjugación, como *comer* y *aprender*.
- aprender cómo se forma el plural.
- aprender qué es el *folklore*.
- jugar a recordar posiciones de ciudades en un mapa.
- escribir sobre el talento personal.
- colaborar con un grupo de compañeros para crear un póster.

De visita en Guatemala

Después de cruzar la frontera en el sur de México, el grupo ha llegado a Guatemala. Viajan a la fiesta de un pueblo en las montañas.

Bueno, ya pueden bajarse y estirar las piernas.
Escuchen, niños. Demos una vuelta por la plaza y después vamos a comer.
Si van a comer, les recomiendo un plato típico de carne asada, tortillas, frijoles negros y plátanos fritos.
Más tarde, en el restaurante.
¡Qué bonita música! Me gusta cómo suena la marimba.
La marimba es algo muy especial en Guatemala. Es parte de la cultura local.
¿Qué quiere decir *cultura*, profesor?
Cultura es la manera de vivir de un grupo de personas, las cosas que comparten…
¿Cómo qué profesor?
La ropa, la comida, la música, los bailes… Todo lo que estamos viendo.

Aún no hemos visto los bailes.
Cierto. Tenemos que volver a la plaza.
¡Bueno, vamos!

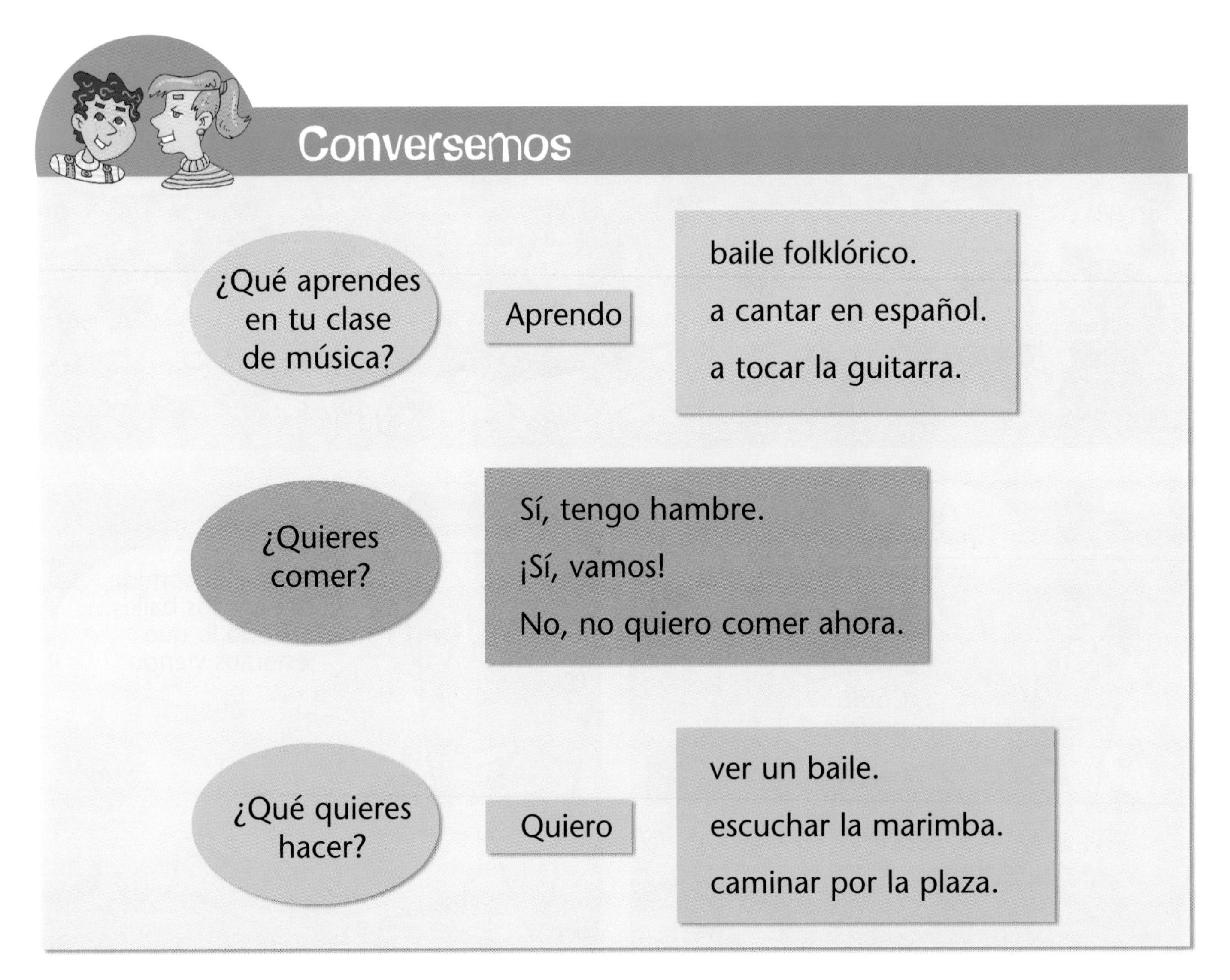
Conversemos
¿Qué aprendes en tu clase de música?
Aprendo
baile folklórico.
a cantar en español.
a tocar la guitarra.
¿Quieres comer?
Sí, tengo hambre.
¡Sí, vamos!
No, no quiero comer ahora.
¿Qué quieres hacer?
Quiero
ver un baile.
escuchar la marimba.
caminar por la plaza.

El talento musical

APRENDE

Algunos sustantivos que terminan en *–a* o *–e* son iguales en el masculino y el femenino.

Ejemplos:

el artista / la artista
el guitarrista / la guitarrista

el cantante / la cantante
el estudiante / la estudiante

Verbos del grupo *–er*

- Escucha y observa.

¿Qué fruta **come** la niña?

¿Qué **comen** los niños?

Comemos carne asada.

¿Cambiamos? Yo **como** tu comida, y tú **comes** la mía.

Comer es un verbo. Tiene formas regulares, como otros verbos que también terminan en *–er*.

(yo)	com**o**	(nosotros, –as)	com**emos**
(tú)	com**es**		
(el, ella)	com**e**	(ellos, ellas)	com**en**
(usted)	com**e**	(ustedes)	com**en**

Estos son otros verbos regulares que también terminan en *–er*:

correr **aprender** **vender**

¿Cuáles son las formas de los verbos *correr* y *aprender*?

El plural

- Escucha y observa.

una trompeta

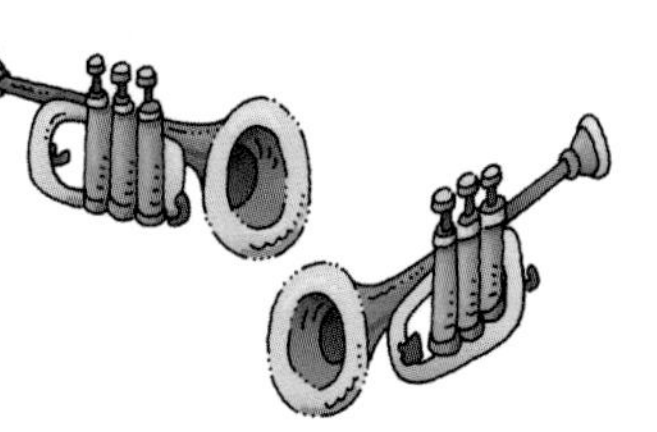

dos trompetas

un juguete

dos juguetes

un tambor

tres tambores

un animal

dos animales

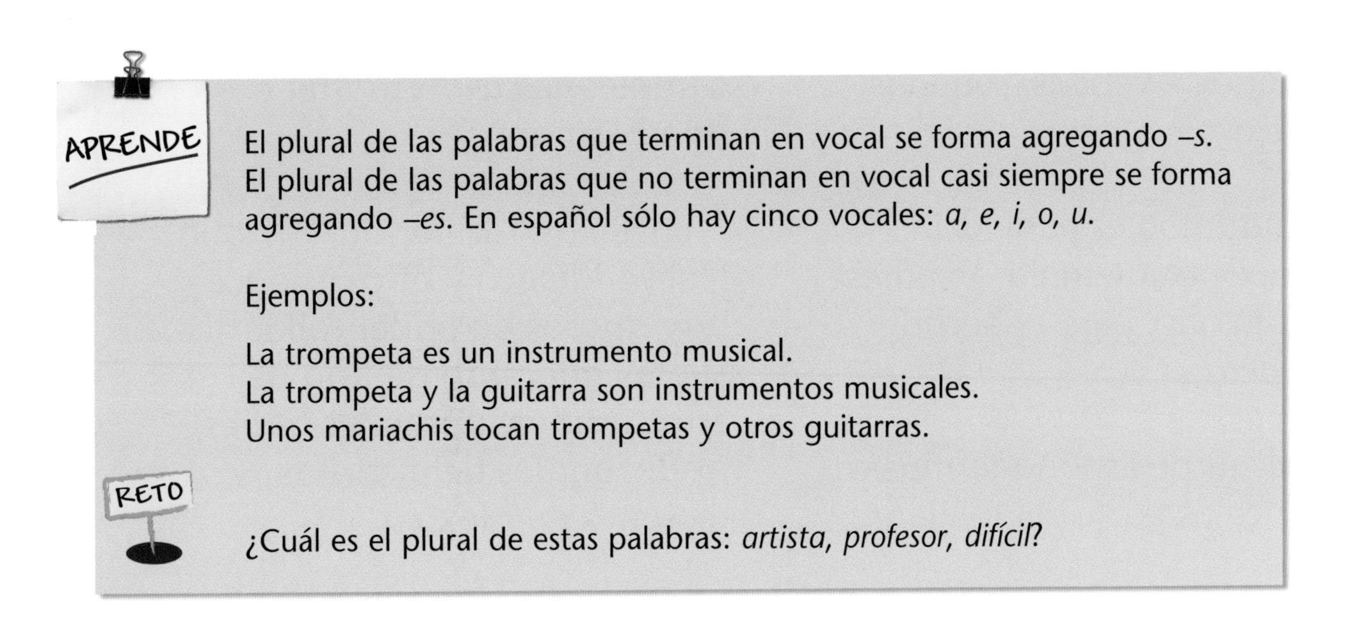

APRENDE

El plural de las palabras que terminan en vocal se forma agregando *–s*. El plural de las palabras que no terminan en vocal casi siempre se forma agregando *–es*. En español sólo hay cinco vocales: *a, e, i, o, u*.

Ejemplos:

La trompeta es un instrumento musical.
La trompeta y la guitarra son instrumentos musicales.
Unos mariachis tocan trompetas y otros guitarras.

RETO

¿Cuál es el plural de estas palabras: *artista, profesor, difícil*?

Los bailes folklóricos

¿Qué quiere decir la palabra *folklore*? Parece una palabra inglesa y no una palabra española. Realmente así es: *folklore* está formada por dos palabras inglesas: *folk* que significa pueblo y *lore* que significa conocimiento.

El *folklore* es un concepto que incluye todo lo que es típico de un pueblo, como sus costumbres, tradiciones, leyendas, comidas y música.

La marimba es parte del folklore de Guatemala. Se parece a un xilófono, pero es hecha de madera.

En el sur de España la música flamenca es parte del folklore. En una presentación de flamenco hay artistas que tocan la guitarra, otros que cantan, y otros que bailan palmeando y zapateando.

¿Sabes qué son los mariachis? Son una banda que se viste de charro y tocan trompetas, guitarras y violines. En México, llegan a tu casa a cantar *Las mañanitas* para celebrar el cumpleaños de tu mamá o una hermana.

En Texas, California, Arizona, Nuevo México y otros estados hay grupos de ballet folklórico. Si eres miembro de uno de estos grupos, aprendes bailes tradicionales de distintas regiones de México.

Contesta

1. ¿Cuál crees que es el propósito del texto que leíste?
   a. Dar ejemplos de qué es el folklore.
   b. Explicar que el violín y la guitarra son instrumentos musicales.
   c. Enseñar a bailar.
   d. Enseñar a tocar la guitarra.

2. ¿Qué crees que es más fácil tocar, la marimba o las maracas? ¿Por qué?

3. La música flamenca es parte del folklore de...
   a. México. b. Guatemala. c. España. d. Puerto Rico.

4. *Las mañanitas* es una canción que...
   a. es popular en Cuba.
   b. bailan en España.
   c. cantan los mariachis.
   d. viene de Inglaterra.

5. Si vas a clases de ballet folklórico aprendes bailes...
   a. españoles.
   b. estadounidenses.
   c. texanos.
   d. mexicanos.

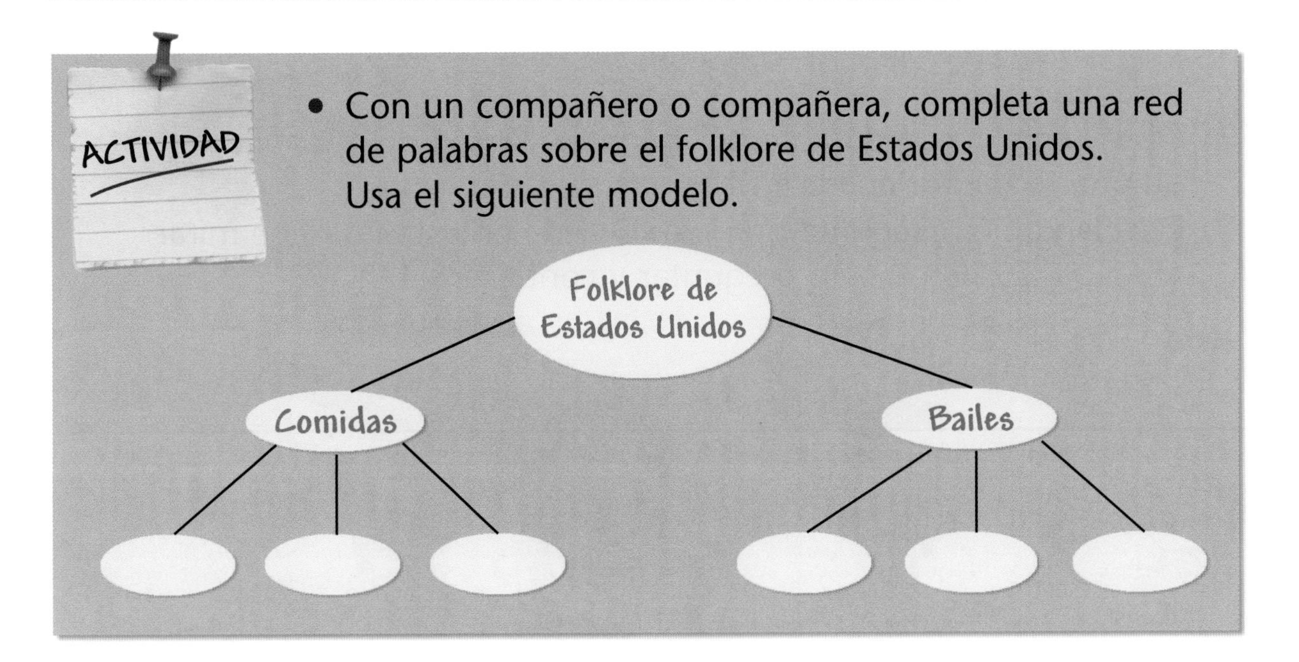

- Con un compañero o compañera, completa una red de palabras sobre el folklore de Estados Unidos. Usa el siguiente modelo.

Recordar la ubicación

- Los mapas cuadriculados sirven para localizar o encontrar en ellos un lugar. La cuadrícula está formada por líneas verticales y horizontales.
  - Las líneas verticales forman columnas que se identifican con números (1, 2, 3, 4...).
  - Las líneas horizontales forman filas que se identifican con letras (A, B, C, D...).
  - Cada recuadro se identifica según su posición con una letra y un número (A4, B2...).

REGLAS

1. Usa el mapa para jugar un juego de memorizar con un compañero o compañera.
2. Observen el mapa durante dos minutos. Traten de memorizar en qué recuadros aparecen algunas ciudades.
3. Decidan quién pregunta primero. Quien contesta no debe mirar el mapa. Túrnense para preguntar y contestar.

¿Ser o no ser artista?

1. Lee qué escribieron estos niños acerca de ser artistas.

Cuando sea grande, no quiero ser artista. Yo no tengo talento para eso. Tengo talento para el deporte, no para la música. No me gusta la música. Me gusta patear la pelota de fútbol y meter un gol cada vez que puedo. Algún día ustedes me van a ver jugar en un partido internacional.

Cuando sea grande, quiero ser artista. Me gusta la música. Ahora sólo tengo diez años pero ya toco el violín en un mariachi. Yo tengo ritmo. Mi papá dice que tengo talento para la música. Algún día ustedes me verán dar un concierto con una orquesta famosa.

2. Comenta con tus compañeros de qué tratan los textos anteriores. Compara las oraciones afirmativas y negativas. *Yo tengo ritmo* y *Me gusta la música* son oraciones afirmativas. *Yo no tengo talento para eso* y *No me gusta la música* son oraciones negativas.

3. Hazte estas preguntas: *¿Para qué soy bueno? ¿Para qué tengo talento?* Piensa en razones para querer ser artista o ser otra cosa. Luego haz una lista de las palabras y frases que puedas necesitar para escribir un pequeño párrafo similar a los anteriores.

4. Escribe tu párrafo. Revisa y corrígelo luego de compartirlo con un(a) compañero(a).

5. Lee tu párrafo a tu clase.

Investigar el folklore

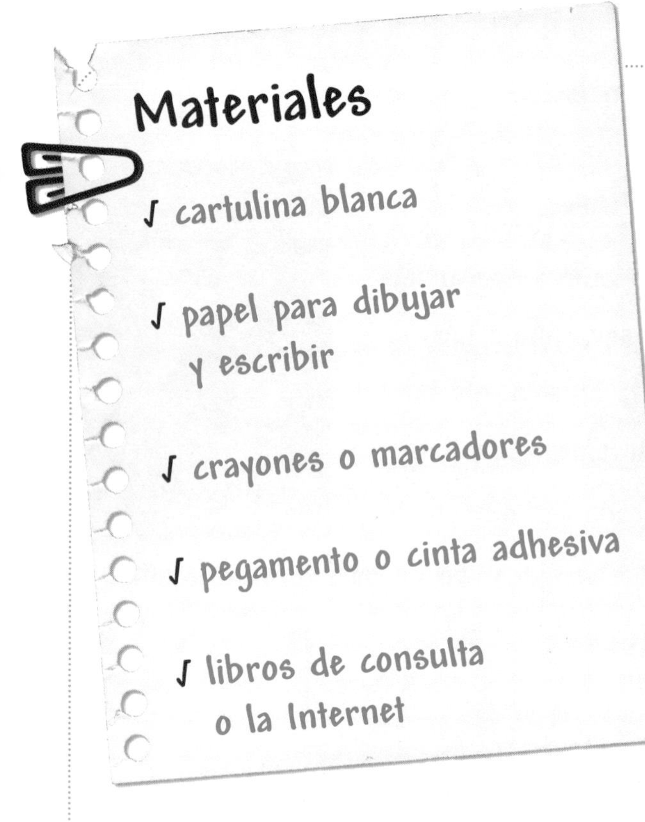

¡Manos a la obra!

1. Escoge un país hispano para investigar su folklore. Únete a otros compañeros que quieran investigar el mismo país.

2. Decidan cómo van a hacer un póster del folklore de ese país. En su póster deben presentar ejemplos de bailes, trajes, instrumentos musicales y platos típicos. También deben presentar información general sobre el país.

3. Decidan qué fuentes van a consultar y consigan la información.

4. Usen diferentes hojas de papel para anotar cada tipo de información. Hagan listas y dibujos.

5. Peguen las hojas informativas en la cartulina y decórenla.

6. Presenten su trabajo.

El sistema solar

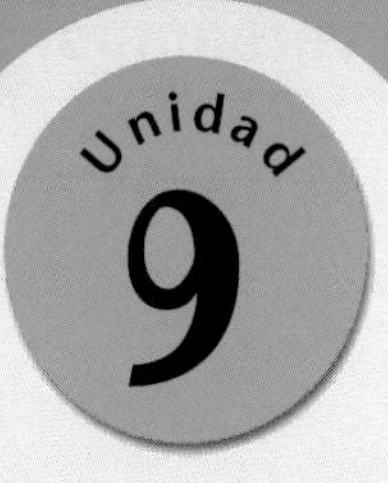

En esta unidad vas a:

- enterarte de qué saben nuestros amigos sobre el sistema solar.
- aumentar tu vocabulario para describir con más detalle un tema.
- practicar expresiones que se usan para comparar.
- leer acerca de los movimientos del planeta Tierra.
- poner a prueba tus conocimientos sobre los planetas.
- escribir sobre un planeta imaginario.
- hacer un modelo del sistema solar.

Viaje espacial

Muy bien.
Y ahora,
¿qué ven frente
a la nave?
Es la Luna, el único satélite
natural de la Tierra.
Pronto vamos
a pasar por
Marte, que es
el planeta que
sigue después
de la Tierra.
Profesor,
¿usted cree que en Marte
viven seres humanos
como nosotros?
¿Podemos ir
a Júpiter,
profesor?
Yo quiero visitar
los anillos
de Saturno.
No,
en este viaje
no vamos a visitar los
planetas. Pero cuando
regresemos a la Tierra,
vamos a ir
a Arecibo.
¿Arecibo?

Conversemos

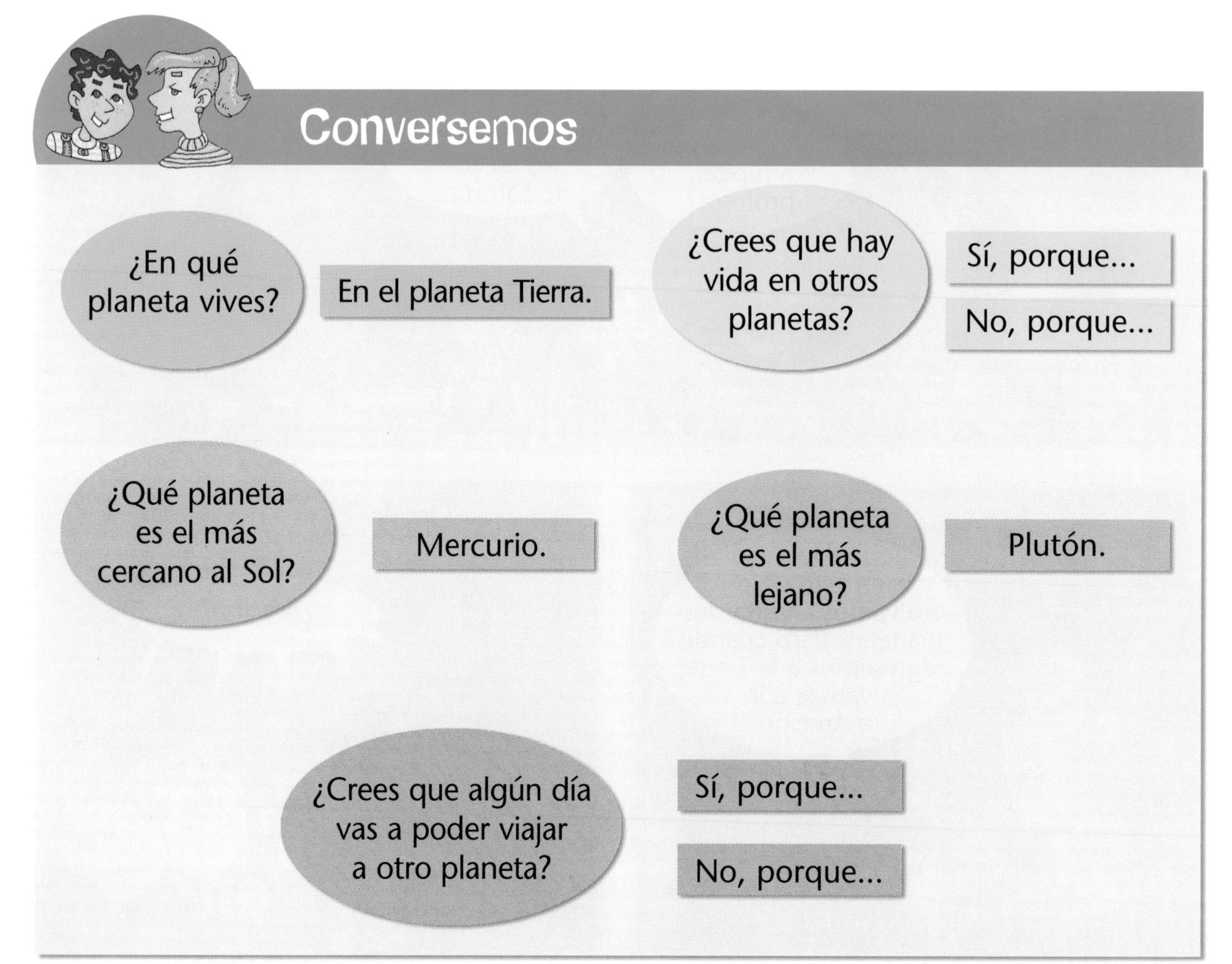

Los planetas

Planetas

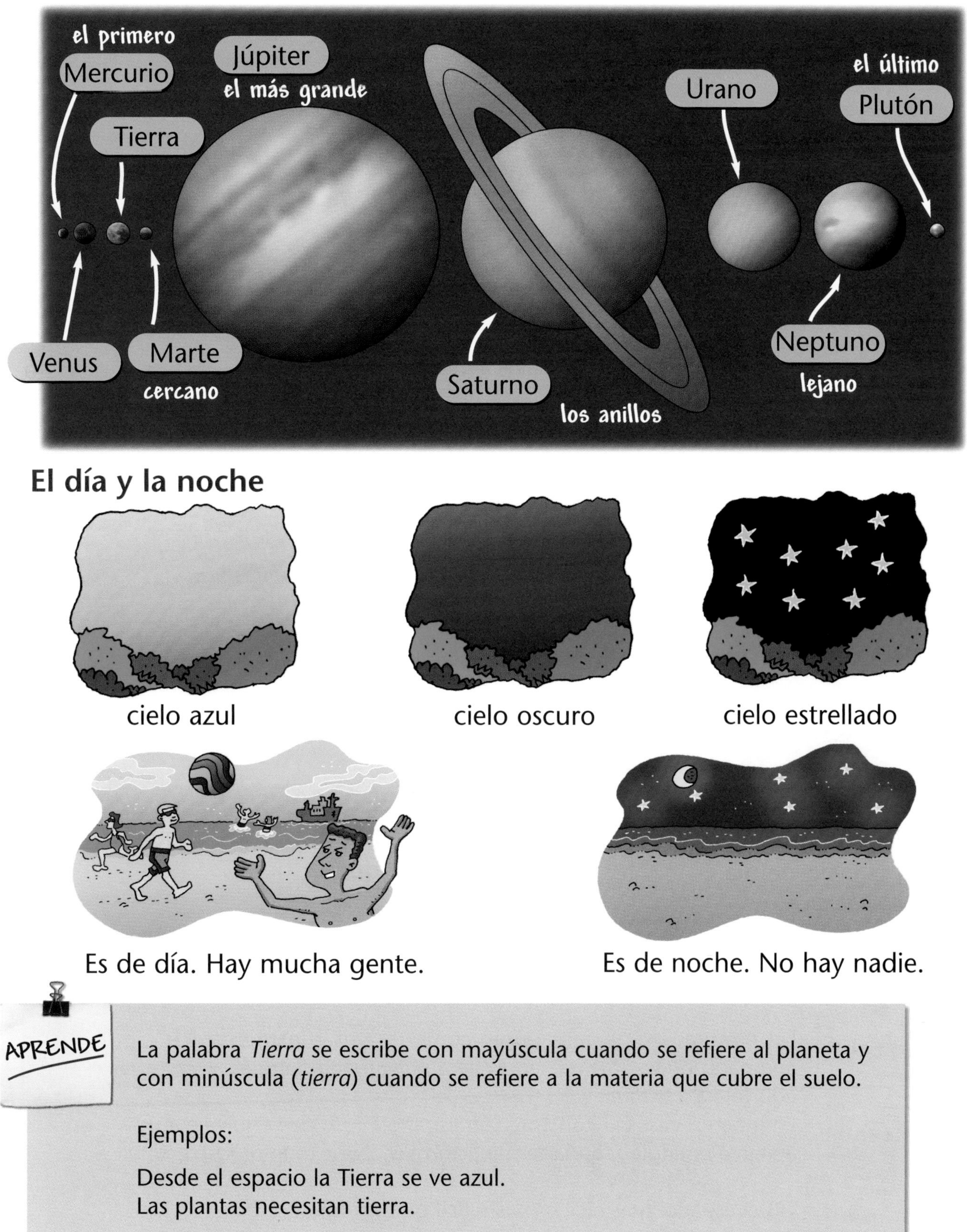

El día y la noche

cielo azul

cielo oscuro

cielo estrellado

Es de día. Hay mucha gente.

Es de noche. No hay nadie.

APRENDE

La palabra *Tierra* se escribe con mayúscula cuando se refiere al planeta y con minúscula (*tierra*) cuando se refiere a la materia que cubre el suelo.

Ejemplos:

Desde el espacio la Tierra se ve azul.
Las plantas necesitan tierra.

Expresar comparaciones con *más* y *menos*

- Escucha y observa.

Antonio come **más que** Mike.
Mike come **menos que** Antonio.

Ellas llevan **más que** ellos.
Ellos llevan **menos que** ellas.

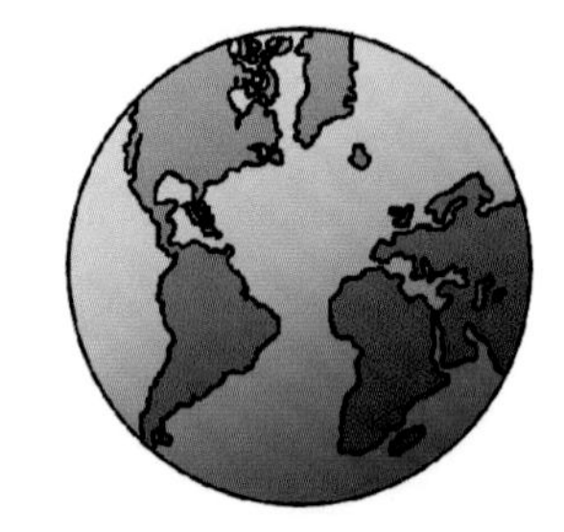

En nuestro planeta hay **más** agua **que** tierra.

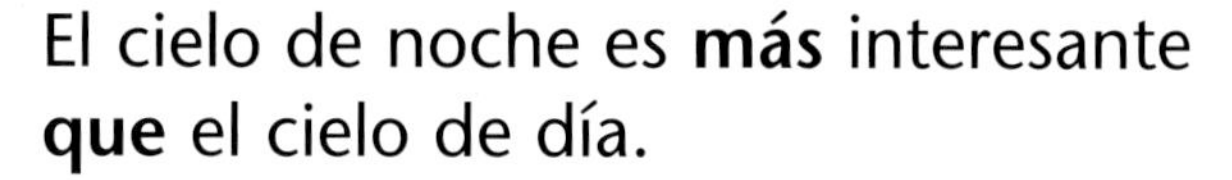

El cielo de noche es **más** interesante **que** el cielo de día.

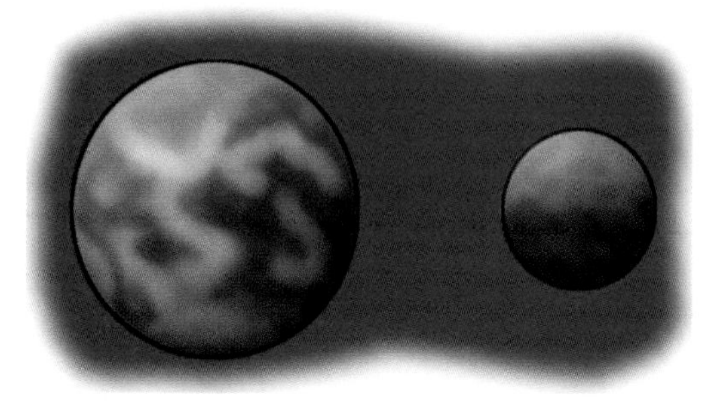

Marte es **más** pequeño **que** la Tierra.

Las palabras *más* y *menos* junto con *que* se usan para expresar comparaciones. *Más que* equivale a *more than* en inglés. *Menos que* equivale a *less than*.
En muchos casos la construcción española *más que* equivale a un adjetivo en inglés con la terminación *–er*, por ejemplo: *faster, smaller*.

¿Es el español más fácil o más difícil que el inglés?

Expresar el grado máximo

- Escucha y observa.

El Sr. Gómez es **el menos estricto de** mis profesores.

El radiotelescopio de Arecibo es **el más grande del** mundo.

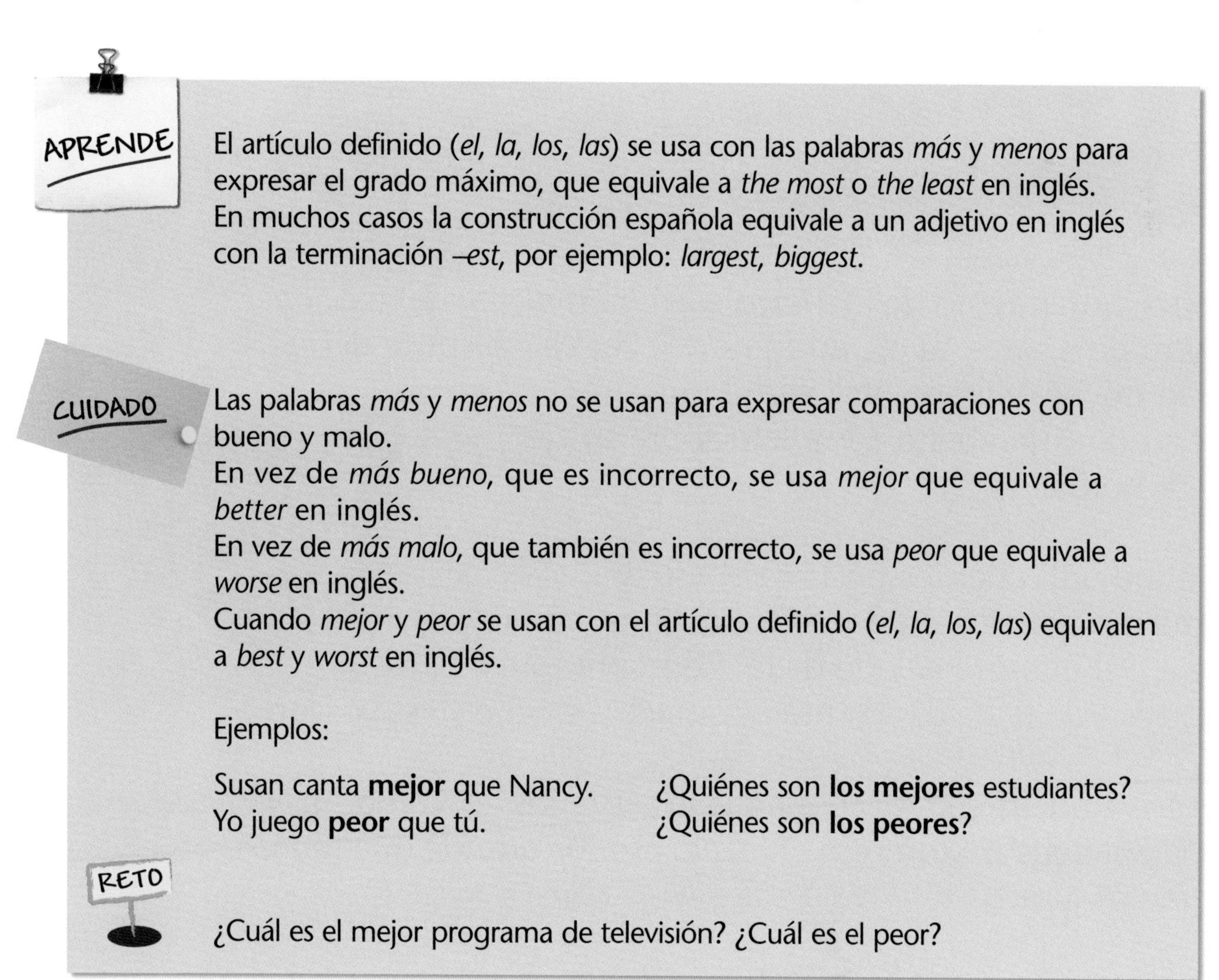

APRENDE

El artículo definido (*el, la, los, las*) se usa con las palabras *más* y *menos* para expresar el grado máximo, que equivale a *the most* o *the least* en inglés. En muchos casos la construcción española equivale a un adjetivo en inglés con la terminación *–est*, por ejemplo: *largest, biggest.*

CUIDADO

Las palabras *más* y *menos* no se usan para expresar comparaciones con bueno y malo.
En vez de *más bueno*, que es incorrecto, se usa *mejor* que equivale a *better* en inglés.
En vez de *más malo*, que también es incorrecto, se usa *peor* que equivale a *worse* en inglés.
Cuando *mejor* y *peor* se usan con el artículo definido (*el, la, los, las*) equivalen a *best* y *worst* en inglés.

Ejemplos:

Susan canta **mejor** que Nancy.
Yo juego **peor** que tú.

¿Quiénes son **los mejores** estudiantes?
¿Quiénes son **los peores**?

RETO

¿Cuál es el mejor programa de televisión? ¿Cuál es el peor?

Los movimientos de la Tierra

Nadie siente que la Tierra se mueve, pero está en constante movimiento. Nuestro planeta, igual que todos los otros, tiene dos movimientos.

La Tierra da vueltas alrededor del Sol. A este movimiento se le llama *movimiento de traslación*. El camino que sigue nuestro planeta alrededor del Sol se llama *órbita*. La Tierra completa su órbita en 365 días. Por eso un año tiene 365 días.

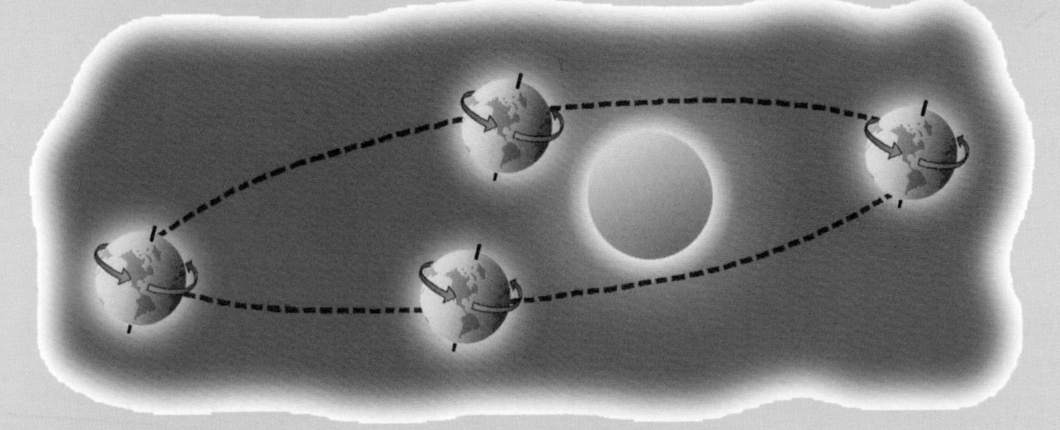

El otro movimiento de la Tierra es el *movimiento de rotación*. La Tierra gira sobre su eje imaginario. Por eso después del día viene la noche, y luego otra vez el día.
La Tierra da una vuelta completa sobre su eje cada 24 horas.

El Sol no brilla por las noches debido al movimiento de rotación de la Tierra. Durante la noche el Sol ilumina el lado de la Tierra opuesto a nosotros. Allí es de día cuando aquí es de noche y está oscuro.

El Sol es una estrella. Como todas las estrellas, el Sol da luz y calor. El Sol tiene un tamaño enorme. Es más grande que todos los planetas juntos.

Contesta

1. Un año es...
   a. el tiempo que tarda la luz del Sol en llegar a la Tierra.
   b. el tiempo que tarda la Tierra en dar una vuelta al Sol.
   c. la distancia entre la Tierra y el Sol.

2. El eje de la Tierra es...
   a. una varilla imaginaria que pasa por el centro de la Tierra.
   b. la órbita que sigue la Tierra.
   c. un movimiento que no se siente.

3. El movimiento de rotación...
   a. causa los días y las noches.
   b. es el camino que sigue la Tierra.
   c. causa vientos y tormentas.

4. El Sol da luz y calor...
   a. por las mañanas.
   b. sólo durante la noche.
   c. porque es una estrella.

5. ¿Cuáles dos pares de palabras tienen significados iguales o parecidos?
   a. *enorme–grande* b. *vuelta–distancia* c. *oscuro–opuesto*

6. ¿Te gustaría ir a la escuela de noche y dormir de día? ¿Por qué?

ACTIVIDAD

- Escoge un planeta y busca información acerca de él en libros de consulta o la Internet. Luego haz una tabla que muestre la siguiente información:
  - ¿Cuántas lunas tiene?
  - ¿Cuántos anillos?
  - ¿Qué diámetro tiene?
  - ¿A qué distancia está del Sol?
  - ¿En cuánto tiempo completa su órbita?
- Presenta tu trabajo a tus compañeros.

Desafío planetario

- Dime qué planeta soy. Si aciertas, ganas cinco puntos. Si no, pierdes tres puntos. Compara tu puntaje final con el de tus compañeros.

1. *Entre el Sol y la Tierra,*
sólo yo tengo nombre de mujer.

2. *Mi nombre empieza con N*
y termina con la palabra uno.

3. *Soy el más lejano*
y el más pequeño
de todos mis hermanos.

4. *Soy el más grande*
y el que gira más rápido
de todos mis hermanos.

5. *Nadie es como yo*
que soy tu casa.

6. *Soy más lindo que todos,*
con anillos que tú puedes ver
desde la Tierra.

7. *Mi nombre rima con verano,*
pero soy más frío que el hielo.

8. *¿Ves mi nombre en este verso?*
Al mar te vas, marinero...

9. *Si nos pones en orden,*
yo soy el primero,
el más cercano al Sol.

Un planeta imaginario

1. ¿Recuerdas Rueda, el planeta imaginario del libro *Personas* que estudiaste el año pasado? Lee esta descripción de Rueda:

Rueda es un planeta donde las casas son redondas. En Rueda la temperatura siempre es la misma. No llueve, no nieva, no hace viento. Hace sol todo el tiempo. En Rueda hay flores, pero no tienen olor. La comida no tiene sabor.

Para algunos, Rueda es un planeta aburrido porque no hay olores ni sabores. La gente tiene el pelo verde y orejas de punta. Los niños sólo tienen juguetes redondos. Juegan a meter una pelota en un aro.

Los niños no tienen mascotas. No hay animales de diferentes clases. En Rueda sólo hay un animal y no tiene nombre.

2. Comenta con tus compañeros de qué trata el texto anterior.

3. Imagina que has viajado por el espacio y descubierto un planeta nuevo. Observa cómo es, qué hay en él y qué no hay. Hazte preguntas como éstas: ¿Cómo es el clima? ¿Cómo son las plantas? ¿Cómo son los animales? ¿Cómo son las personas? Haz una lista de las palabras y frases que puedas necesitar para escribir una pequeña descripción de tu planeta.

4. Ordena tus ideas y escribe tres párrafos como los que describen al planeta Rueda. Comparte y corrige tu trabajo con algún(a) compañero(a).

5. Haz un dibujo de tu planeta para mostrar cómo es.

6. Presenta tu trabajo a tu clase.

Un modelo del sistema solar

Materiales

- cartón cuadrado de 12 a 14 pulgadas por lado
- regla y compás
- plastilina amarilla, anaranjada, roja, azul, verde y blanca
- pegamento
- papel de escribir
- tijeras

¡Manos a la obra!

1. Únete a otros compañeros para hacer un modelo del sistema solar. Comiencen por marcar el centro del cartón. Para encontrarlo, tracen líneas diagonales de esquina a esquina.

2. Con un compás tracen 9 círculos alrededor del centro del cartón para representar las órbitas de los planetas.

3. Hagan bolitas con la plastilina para representar el Sol y los planetas. Hagan las bolitas según esta tabla:

Astro	Sol	Mercurio	Venus	Tierra	Marte	Júpiter	Saturno	Urano	Neptuno	Plutón
Diámetro	2 pulgadas	3/8 de pulgada	5/8 de pulgada	3/4 de pulgada	1/2 pulgada	1-1/2 pulgadas	1-1/4 pulgadas	1 pulgada	1 pulgada	1/4 de pulgada
Color	amarillo con manchas rojas y anaranjadas	anaranjado	anaranjado	azul con verde para los continentes	rojo	amarillo con manchas rojas	anaranjado	mezcla de verde y azul	blanco con bandas de azul	mezcla de blanco y azul

4. Cuando terminen de hacer los modelos, péguenlos en el cartón sobre la órbita correspondiente.

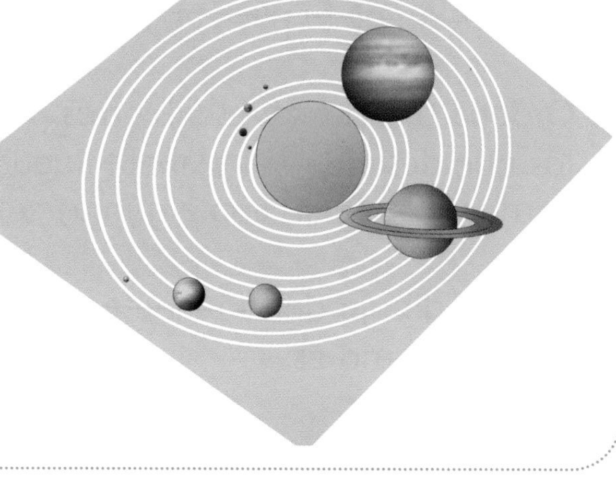

5. Hagan rótulos con los nombres de los planetas. Recórtenlos y péguenlos debajo del modelo correspondiente.

Animales marinos

En esta unidad vas a:

- descubrir el fondo del mar con nuestros amigos.
- aumentar tu vocabulario para describir con más detalle un tema.
- repasar verbos de la tercera conjugación, como *vivir* y *escribir*.
- aprender a usar el verbo *estar* para expresar algo que está ocurriendo.
- leer acerca de algunos animales marinos.
- jugar a las adivinanzas.
- escribir sobre un animal marino usando comparaciones.
- hacer un diorama de un acuario.

Viaje al fondo del mar

Observen esas rocas.
Encima de ellas hay peces
que casi no se ven.
A esos peces se les
llama pez roca porque
parecen rocas.
Es difícil verlos cuando
están sobre las rocas.
Profesor,
¿cómo viven los peces en el agua?
¿Viven sin oxígeno?
No, Antonio.
Recuerda que el agua
contiene oxígeno.
Los peces
respiran en el agua.
Sí, y las agallas
son como nuestros
pulmones.
¡Miren, un pulpo!
¡Está nadando cerca de la nave!
¿Dónde?…
¡Ah, ahora
lo veo!
Tenemos
que encontrar
al buzo
que va a ser
nuestro guía.

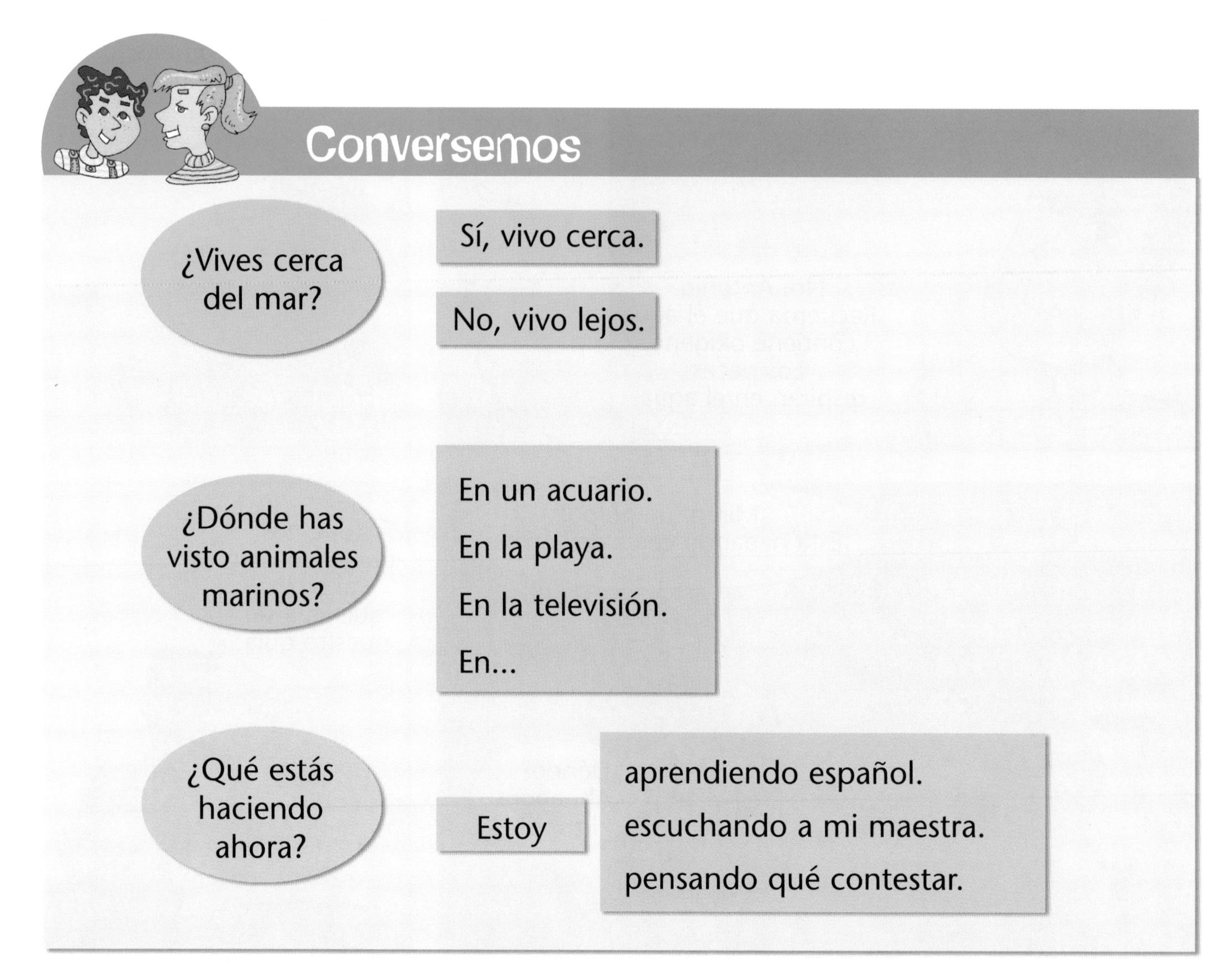

Conversemos

¿Vives cerca del mar?

- Sí, vivo cerca.
- No, vivo lejos.

¿Dónde has visto animales marinos?

- En un acuario.
- En la playa.
- En la televisión.
- En...

¿Qué estás haciendo ahora?

Estoy
- aprendiendo español.
- escuchando a mi maestra.
- pensando qué contestar.

El fondo del mar

¿Dónde está el buzo?	Está debajo del agua.
¿Dónde está el pez vela?	Está encima del agua.
¿Dónde está la medusa?	Está enfrente del buzo.
¿Dónde está el pulpo?	¡Está detrás del buzo!
¿A quiénes persigue el tiburón?	A los peces.

El plural de palabras que terminan con *z* requieren cambiar la *z* a *c* antes de añadir la terminación *–es*.

Ejemplo:

Hay un *pez* cerca. Hay varios *peces* cerca.

Verbos del grupo *–ir*

- Escucha y observa.

Mi mascota **vive** en una pecera.

Los peces **viven** en el agua.

Nosotros **vivimos** cerca del mar.

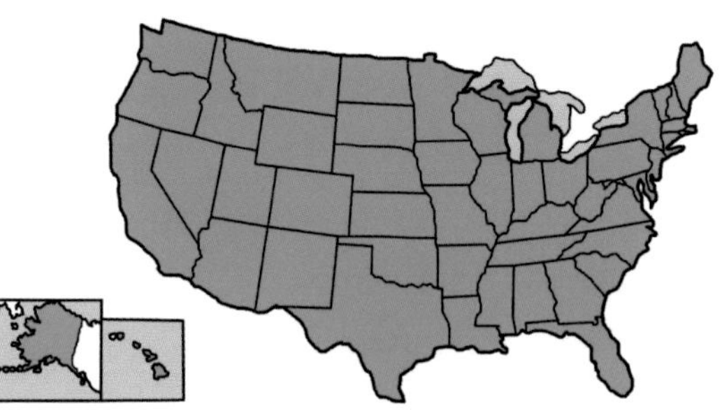

¿En qué estado **vives** tú?

Vivir es un verbo. Tiene formas regulares, como otros verbos que también terminan en *–ir.*

(yo)	viv**o**	(nosotros, –as)	viv**imos**
(tú)	viv**es**		
(él, ella)	viv**e**	(ellos, ellas)	viv**en**
(usted)	viv**e**	(ustedes)	viv**en**

Ejemplos:

Yo **vivo** en una casa pequeña.
El Sr. Gómez **vive** en un barrio latino.

Éstos son otros verbos regulares que también terminan en *–ir*:

RETO

¿Cuáles son las formas de los verbos *abrir* y *escribir*?

La construcción *estar* + gerundio

- Escucha y observa.

El delfín **está jugando**.

¿Por qué **está llorando** la niña?

Los niños **están haciendo** señas.

¿Qué **estás mirando**?

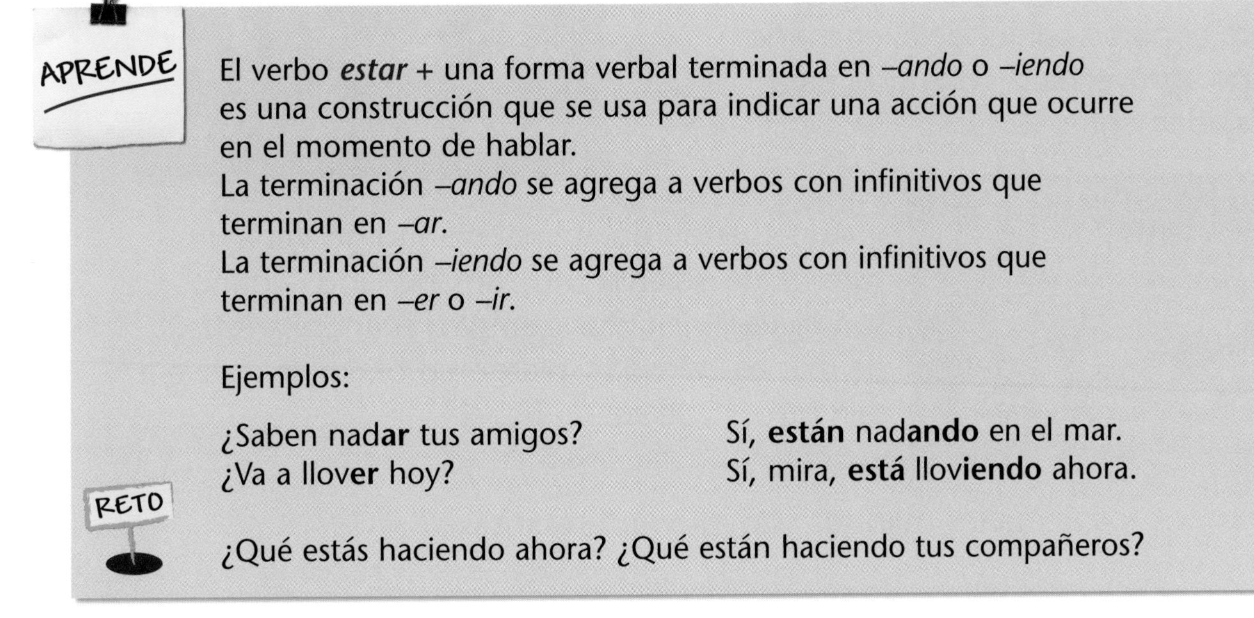

APRENDE

El verbo ***estar*** + una forma verbal terminada en *–ando* o *–iendo* es una construcción que se usa para indicar una acción que ocurre en el momento de hablar.
La terminación *–ando* se agrega a verbos con infinitivos que terminan en *–ar*.
La terminación *–iendo* se agrega a verbos con infinitivos que terminan en *–er* o *–ir*.

Ejemplos:

¿Saben nad**ar** tus amigos?	Sí, **están** nad**ando** en el mar.
¿Va a llov**er** hoy?	Sí, mira, **está** llov**iendo** ahora.

RETO

¿Qué estás haciendo ahora? ¿Qué están haciendo tus compañeros?

Defensas de los animales marinos

¿Has oído decir alguna vez que el pez grande se come al pez chico? Pues no siempre es verdad, porque los animales marinos saben cómo defenderse de sus enemigos usando sistemas de defensa que son muy originales.

Algunos peces se camuflan. Cuando un animal hace esto se hace invisible porque toma el color y la forma del lugar donde está. Así no es visto por sus enemigos. Por ejemplo, el aspecto del pez roca le permite confundirse entre las rocas del fondo del mar.

Hay peces que producen descargas eléctricas cuando atacan. Así, la raya torpedo emite descargas eléctricas usando un músculo especial de su cabeza. La electricidad paraliza al enemigo.

Un sistema muy efectivo es el del pulpo y otros animales parecidos. Cuando son perseguidos, lanzan un líquido oscuro, la tinta, con la que oscurecen el agua. De esta manera el pulpo confunde al enemigo. El pulpo aprovecha la confusión para huir rápidamente.

Aun cuando un animal marino no tiene un sistema de defensa muy desarrollado, algunos sobreviven bien. Por ejemplo, cuando la estrella de mar es atacada y pierde un brazo, le vuelve a salir otro. ¡Qué suerte tiene!

Como ves, los animales marinos son muy interesantes.

Contesta

1. ¿Qué explica el texto informativo que leíste?
   Explica que...
   a. los animales marinos viven debajo del agua.
   b. algunos animales marinos usan defensas especiales.
   c. los peces pequeños se comen a los peces grandes.
   d. los peces grandes se comen a los animales pequeños.

2. Cuando un animal se camufla...
   a. es difícil verlo.
   b. se llena de agua.
   c. produce electricidad.
   d. se sumerge en el agua.

3. ¿Cuál de los siguientes animales no tiene una defensa especial?
   a. El pulpo **b.** La raya **c.** La estrella de mar **d.** El pez roca

4. ¿Qué par de palabras se relacionan por su forma y significado?
   a. *confusión–condición* **b.** *parecido–perseguido*
   c. *confunden–confusión* **d.** *líquido–tinta*

5. ¿Qué te gusta del mar? ¿Qué no te gusta?

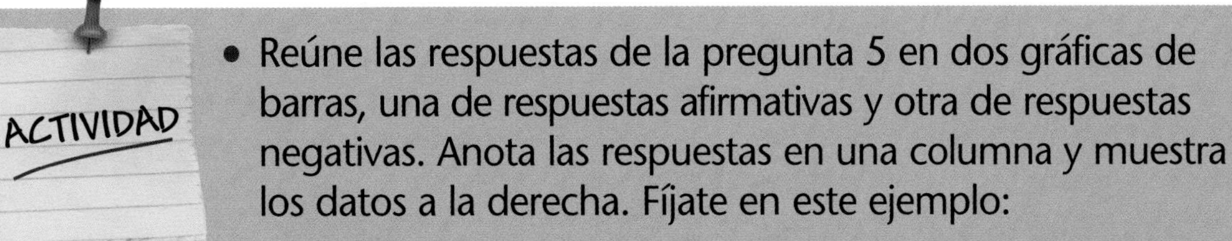

- Reúne las respuestas de la pregunta 5 en dos gráficas de barras, una de respuestas afirmativas y otra de respuestas negativas. Anota las respuestas en una columna y muestra los datos a la derecha. Fíjate en este ejemplo:

¿Qué nos gusta del mar?

saltar las olas
observar a los animales
caminar por la playa
pescar con mi papá

número de estudiantes 0 2 4 6 8 10 12 14 16 18 20

¿Qué animal marino soy?

Mi cabeza tiene una
forma muy especial.
¿Sabes qué parece?
Una herramienta.

Soy el animal más pesado del mundo.
¿Sabes cuánto es eso?
Suma el peso de diez elefantes.
¡Yo peso más!

Nado a 45 millas por hora.
¡Nadie en el mar es tan rápido!
Mi nombre tiene las mismas letras
en inglés y en español.

Si me retas en la tierra,
tú ganas la carrera.
Si me retas en el mar,
yo gano la carrera.

Animales marinos

1. Lee qué escribió Glorimar acerca de un animal marino.

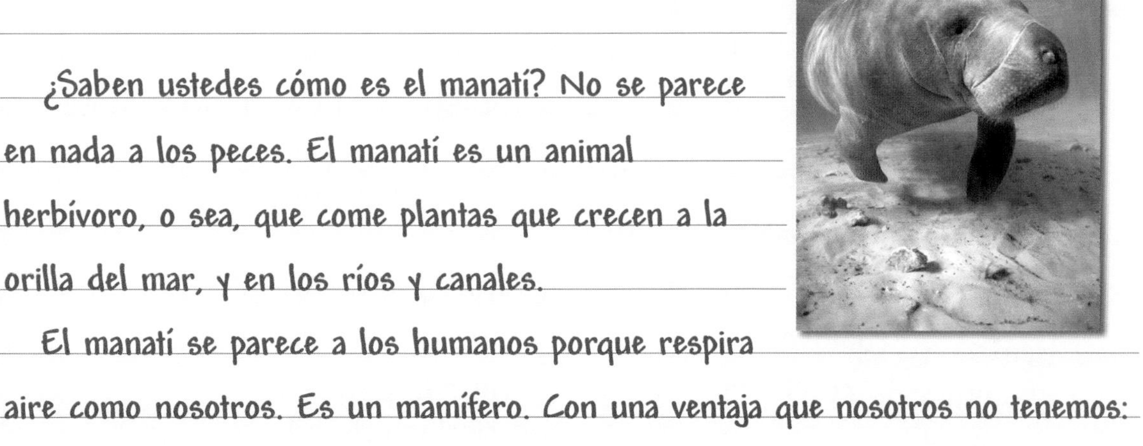

¿Saben ustedes cómo es el manatí? No se parece en nada a los peces. El manatí es un animal herbívoro, o sea, que come plantas que crecen a la orilla del mar, y en los ríos y canales.

El manatí se parece a los humanos porque respira aire como nosotros. Es un mamífero. Con una ventaja que nosotros no tenemos: puede sumergirse en el agua por más de 15 minutos. Cuando se sumerge, la nariz se le cierra automáticamente.

El manatí se parece a otros mamíferos marinos por su tamaño. Los manatís más grandes miden 12 pies de largo y pesan 3,500 libras. Un manatí bebé pesa 66 libras cuando nace.

2. Comenta con tus compañeros de qué trata el texto anterior.

3. Piensa en un animal marino que te gustaría conocer mejor. Investígalo. Haz una lista de las palabras y frases que puedas necesitar para describir cómo es el animal marino que escogiste. Para escribir una composición como la anterior, piensa en cómo comparar tu animal con otros animales marinos y con los seres humanos.

4. Escribe la descripción de tu animal marino. No olvides ponerle título. Incluye un dibujo. Comparte tu trabajo con un(a) compañero(a).

5. Revisa y corrige tu trabajo. Preséntalo a tu clase.

Diorama de un acuario

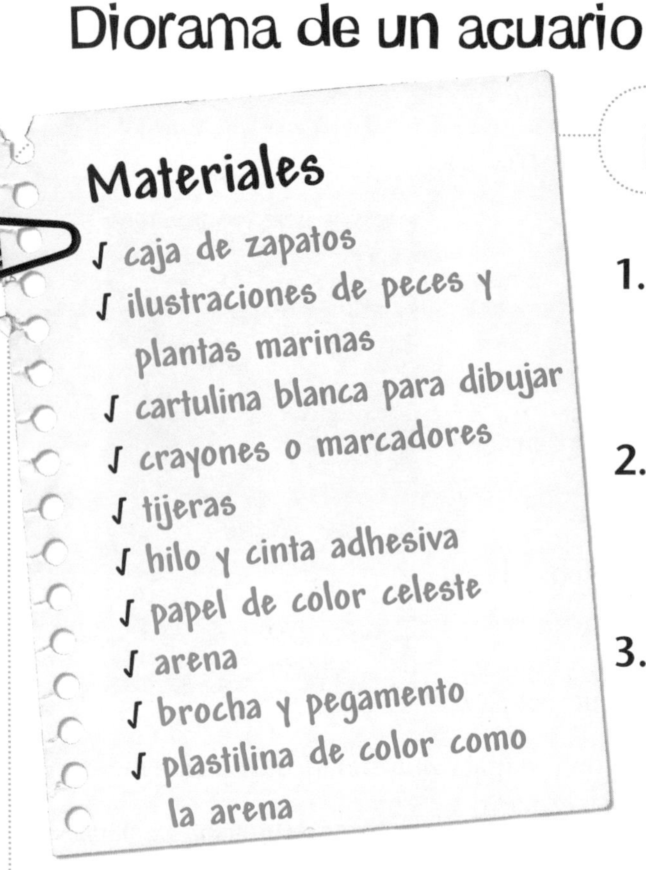

¡Manos a la obra!

1. Únete a un compañero o compañera para crear un diorama. Busquen ilustraciones de peces y plantas que viven en el mar.

2. Dibujen en la cartulina los peces y las plantas que aparecen en las ilustraciones que encontraron.

3. Coloreen y recorten sus dibujos. Con cinta adhesiva, peguen un pedazo de hilo por la parte de atrás de cada pez.

4. Forren la caja por dentro con papel celeste.

5. Coloquen la caja sobre uno de sus lados. Con una brocha, unten pegamento en la parte de abajo. Luego cúbranla con arena.

6. Cuelguen los peces que hicieron pegando los hilos con cinta adhesiva en la parte de arriba de la caja.

7. Sujeten las plantas con plastilina a la base de la caja.

8. Exhiban su diorama.

En España

En esta unidad vas a:

- acompañar a nuestros amigos en su visita a España.
- aumentar tu vocabulario para describir los hábitos personales.
- aprender el concepto de *verbo reflexivo.*
- practicar el uso de *verbos reflexivos.*
- leer acerca de don Quijote y de una gira por La Mancha.
- hacer dibujos para resolver dónde vive un amigo.
- describir qué haces en un día típico.
- planear un viaje con tus compañeros.

Camino a Madrid

Después de visitar el fondo del mar, los niños continuaron navegando en la *Aitimar*. Así cruzaron el Atlántico y llegaron a España.

Con los tíos de Antonio, la noche siguiente.
¡Qué alegría verte, Antonio! ¿Cómo está tu padre?
Muy bien, pero mi madre quiere regresar a España porque dice que aprender inglés es muy difícil.
Veo que tienes muchos amigos.
Son mis compañeros. ¿Recuerdas que te escribí acerca de cada uno?
Sí, recuerdo tu correo electrónico. ¡Qué bueno conocer a todos en persona!
¿Quieren venir con nosotros al Parque del Retiro mañana?
Bueno, bueno... pero no muy temprano. Nosotros nos levantamos tarde.
Seguramente tienen hambre. Voy a ver cómo anda todo en la cocina.

Oye, Antonio, tu tía y yo os hemos preparado una típica cena madrileña.
Me muero de hambre. ¿A qué hora crees que vamos a cenar?
Aquí en España todo el mundo come tarde.
¡Mira, ya son las nueve y media de la noche!

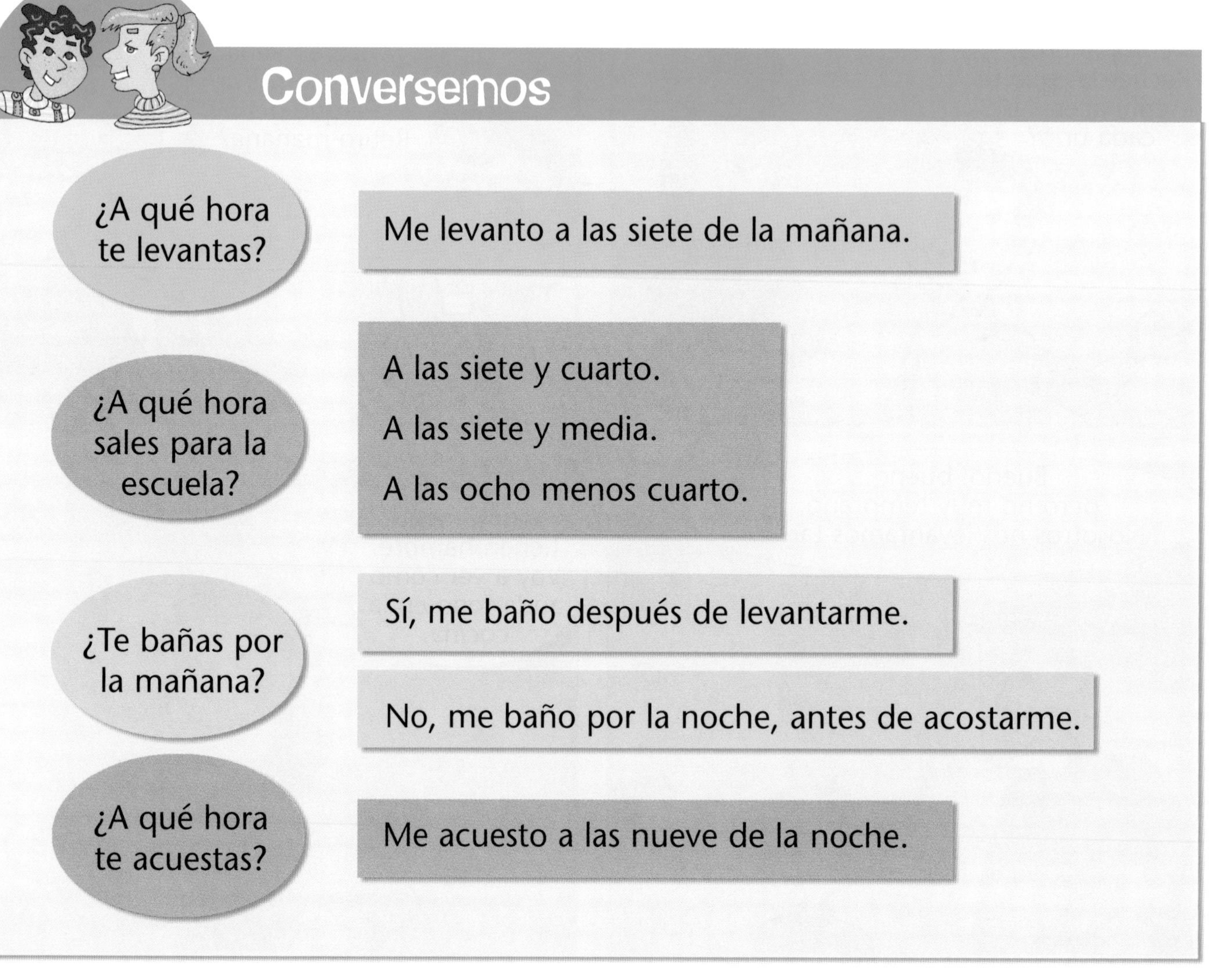
Conversemos
¿A qué hora te levantas?
Me levanto a las siete de la mañana.
¿A qué hora sales para la escuela?
A las siete y cuarto.
A las siete y media.
A las ocho menos cuarto.
¿Te bañas por la mañana?
Sí, me baño después de levantarme.
No, me baño por la noche, antes de acostarme.
¿A qué hora te acuestas?
Me acuesto a las nueve de la noche.

Los hábitos personales

Por la mañana

Se levanta.

Desayuna.

Se va a la escuela.

Por la tarde

Regresa a su casa.

Juega con su amiga de la vecindad.

Cena.

Por la noche

Se baña.

Se acuesta.

Está durmiendo.

El signo ~ se llama tilde y distingue la letra *ñ* de la letra *n*. Recuerda que estas dos letras tienen sonidos diferentes. Si no usas la tilde cuando escribes una palabra con *ñ*, confundes al lector.

Los verbos reflexivos

- Escucha y observa.

En el invierno, **me levanto** en la oscuridad.

En el invierno, los osos no **se levantan** porque invernan.

Los fines de semana **nos levantamos** tarde, excepto por el bebé.

Yo **me levanto** a las siete. ¿A qué hora **te levantas** tú?

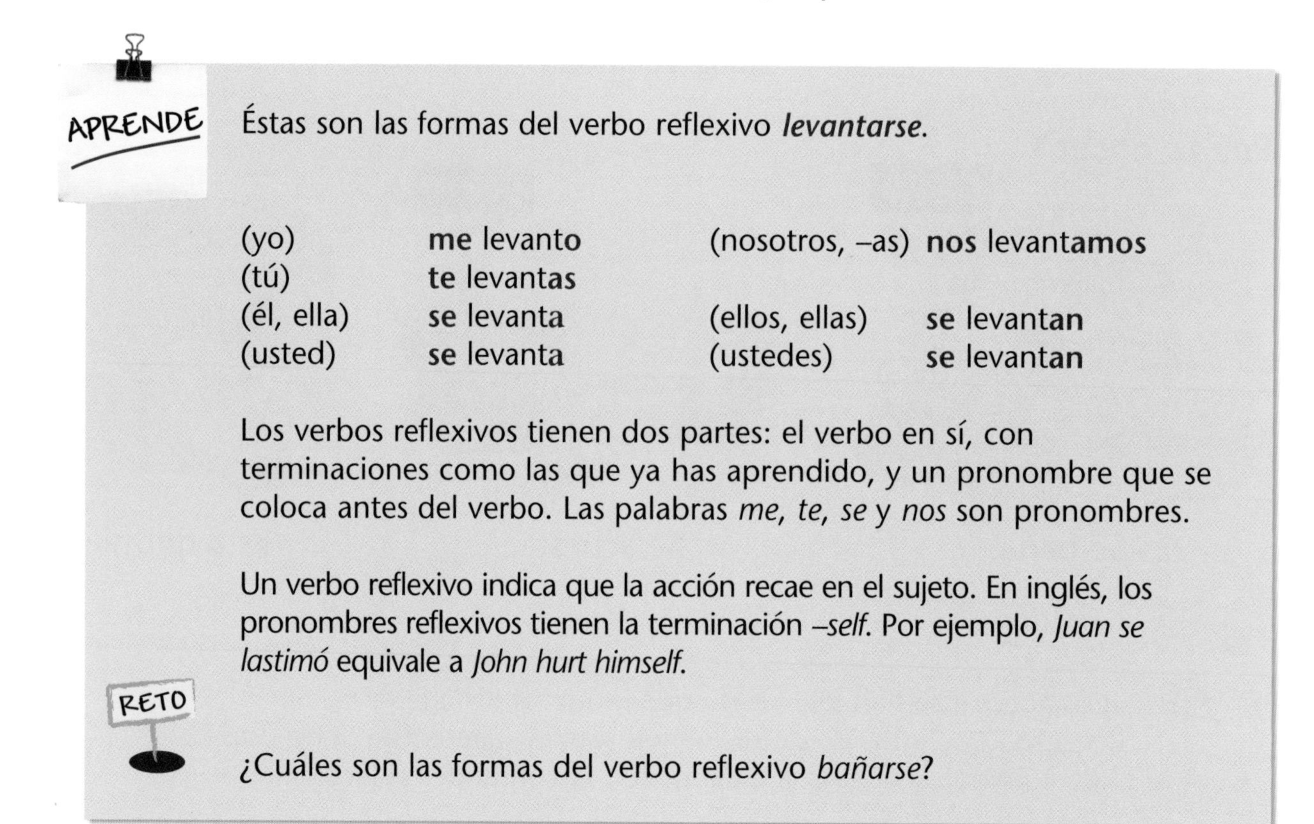

Éstas son las formas del verbo reflexivo *levantarse.*

(yo)	**me** levanto	(nosotros, –as)	**nos** levant**amos**
(tú)	**te** levant**as**		
(él, ella)	**se** levant**a**	(ellos, ellas)	**se** levant**an**
(usted)	**se** levant**a**	(ustedes)	**se** levant**an**

Los verbos reflexivos tienen dos partes: el verbo en sí, con terminaciones como las que ya has aprendido, y un pronombre que se coloca antes del verbo. Las palabras *me, te, se* y *nos* son pronombres.

Un verbo reflexivo indica que la acción recae en el sujeto. En inglés, los pronombres reflexivos tienen la terminación *–self*. Por ejemplo, *Juan se lastimó* equivale a *John hurt himself.*

¿Cuáles son las formas del verbo reflexivo *bañarse*?

Algunas acciones que recaen en el sujeto no se expresan con pronombres reflexivos en inglés.

Ejemplos:

Anita se levanta temprano.	*Anita gets up early.*
Me baño por la noche.	*I take a bath at night.*
Nos acostamos temprano.	*We go to bed early.*
¡Hola, me llamo Tom!	*Hi, my name is Tom!*

Verbos que cambian de significado

- Escucha y observa.

Lee **se levanta** a las siete.

Lee **levanta** la mano porque quiere decir algo.

La señora **se llama** Elena Pérez.

La señora Pérez **llama** por teléfono.

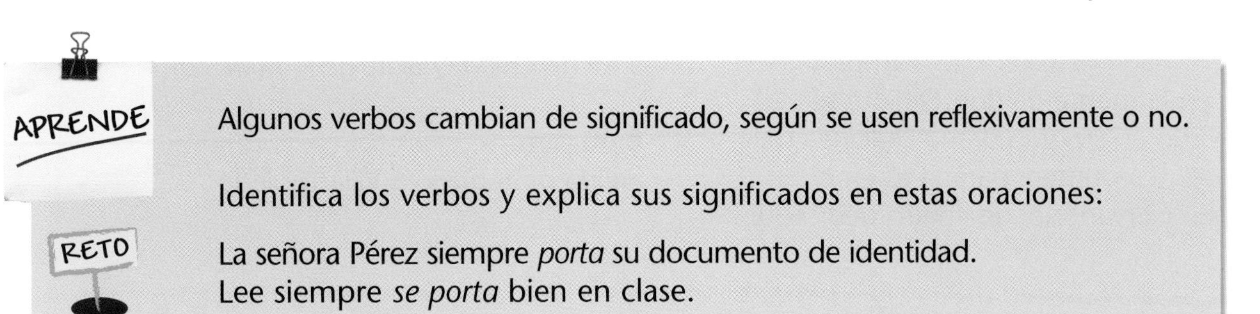

Algunos verbos cambian de significado, según se usen reflexivamente o no.

Identifica los verbos y explica sus significados en estas oraciones:

La señora Pérez siempre *porta* su documento de identidad.
Lee siempre *se porta* bien en clase.

Don Quijote de la Mancha

Una de las novelas más famosas en todo el mundo cuenta las aventuras de un hombre que perdió la razón por leer demasiadas novelas. Las novelas que leía contaban aventuras fantásticas. Los personajes principales eran caballeros andantes que vencían a enemigos formidables.

Los libros de caballería tuvieron tanta influencia en don Quijote, que él decidió hacerse caballero andante y salir en busca de aventuras.

Un paseo a Castilla-La Mancha es como volver al pasado para seguirle los pasos a don Quijote.

8:30 a.m.
Salida de Villarrobledo a Campo de Criptana.

9:40 a.m.
Llegada a Campo de Criptana para visitar los molinos de viento que don Quijote confundió con gigantes en su primera aventura. La visita guiada incluye una explicación de cómo funcionan los molinos. Todavía hay tres molinos de la época de don Quijote.

11:45 a.m.
Salida de Campo de Criptana a El Toboso.

12:00 p.m.
Llegada a El Toboso, el pueblo de Aldonza Lorenzo, la mujer campesina que en la mente de don Quijote se convirtió en su gran dama Dulcinea del Toboso. La primera parada es en el Museo Cervantino, un centro dedicado a la obra de Miguel de Cervantes, el autor de *Don Quijote de la Mancha.*

2:00 p.m.
Almuerzo y paseo por el pueblo para conocer las casas antiguas, incluyendo la casa de Dulcinea, que ahora es un museo.

5:30 p.m.
Salida de El Toboso a Argamasilla del Alba.

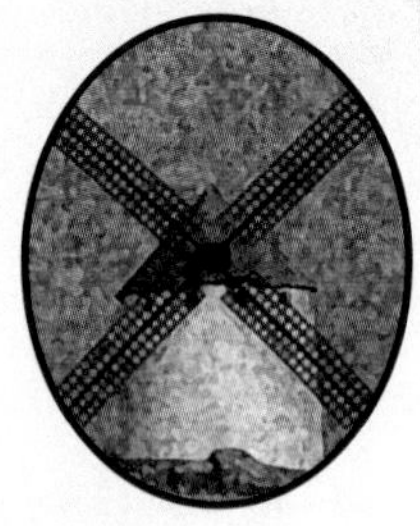

6:30 p.m.
Llegada a Argamasilla del Alba para visitar el Centro Cultural Cueva de Medrano. Según la tradición, éste es el lugar donde Miguel de Cervantes comenzó a escribir *Don Quijote de la Mancha.*

8:00 p.m.
Salida de regreso a Villarrobledo.

Contesta

1. ¿De qué trata el texto que leíste?
   Trata de...
   a. un personaje llamado Lorenzo Medrano.
   b. un paseo a la región de Castilla-La Mancha.
   c. unos molinos de viento que son antiguos.
   d. un escritor llamado Miguel de Cervantes.

2. El pueblo que se visita primero es...
   a. Villarrobledo. b. El Toboso. c. Argamasilla. d. Campo de Criptana.

3. ¿En cuál de los pueblos se pasa más tiempo?
   a. Villarrobledo b. El Toboso c. Argamasilla d. Campo de Criptana

4. Miguel de Cervantes fue...
   a. un caballero andante. b. un gigante. c. un escritor. d. un guía.

5. ¿Qué oración es correcta?
   a. La palabra *antiguo* y la palabra *viejo* tienen significados parecidos.
   b. *Caballo* y *caballero* tienen significados parecidos.
   c. El verbo *ver* y el verbo *volver* tienen significados opuestos.
   d. Ninguna de las oraciones es correcta.

6. ¿Te gustaría ir en un tour de los lugares mencionados? ¿Por qué sí o por qué no?

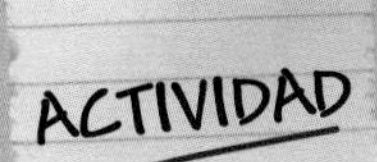

- Busca en la enciclopedia o la Internet más información sobre *Don Quijote de la Mancha* y su autor, Miguel de Cervantes. Con la información que consigas, escribe un pequeño informe dando respuesta a estas preguntas:
  - ¿En qué año se publicó la novela?
  - ¿En qué fecha murió Miguel de Cervantes?
  - ¿Cuál era el verdadero nombre de don Quijote?
  - ¿Quién es el personaje que acompañó a don Quijote en sus aventuras?

¿Dónde vive Tomás?

- Tienes nuevos amigos y todos viven en el mismo edificio. Uno de ellos te reta a descubrir en qué piso vive Tomás.

Un día típico

1. Lee qué escribió Beatriz acerca de cómo pasa un día típico.

Todas las mañanas es lo mismo, excepto por los fines de semana. Despierto a las siete y me levanto. Luego me baño y me visto. Después desayuno con mi padre. La escuela comienza a las nueve y está cerca. Voy caminando.

Vuelvo a casa a las dos de la tarde. Mi madre también llega a esa hora porque la oficina donde trabaja cierra de una y media a cuatro y media. Almuerzo con ella.

Por la tarde tengo clases de baile los martes y jueves. Estoy aprendiendo a bailar sevillanas, que es el baile típico de aquí.

Por la noche cenamos a las nueve. Mi comida favorita es la pizza. También me gusta el gazpacho, especialmente a la hora de almuerzo, cuando hace mucho calor. Después de la cena, me acuesto a las diez de la noche.

2. Compara el horario de Beatriz con el tuyo. ¿En qué se parecen? ¿En qué se diferencian?

3. Piensa en cómo pasas el día o en cómo lo pasa un miembro de tu familia. Haz una lista de palabras y frases que puedas necesitar para escribir sobre un día típico.

4. Escribe la descripción de un día típico tuyo o de un familiar.

5. Comparte tu trabajo con un(a) compañero(a). Luego preséntalo a tu clase.

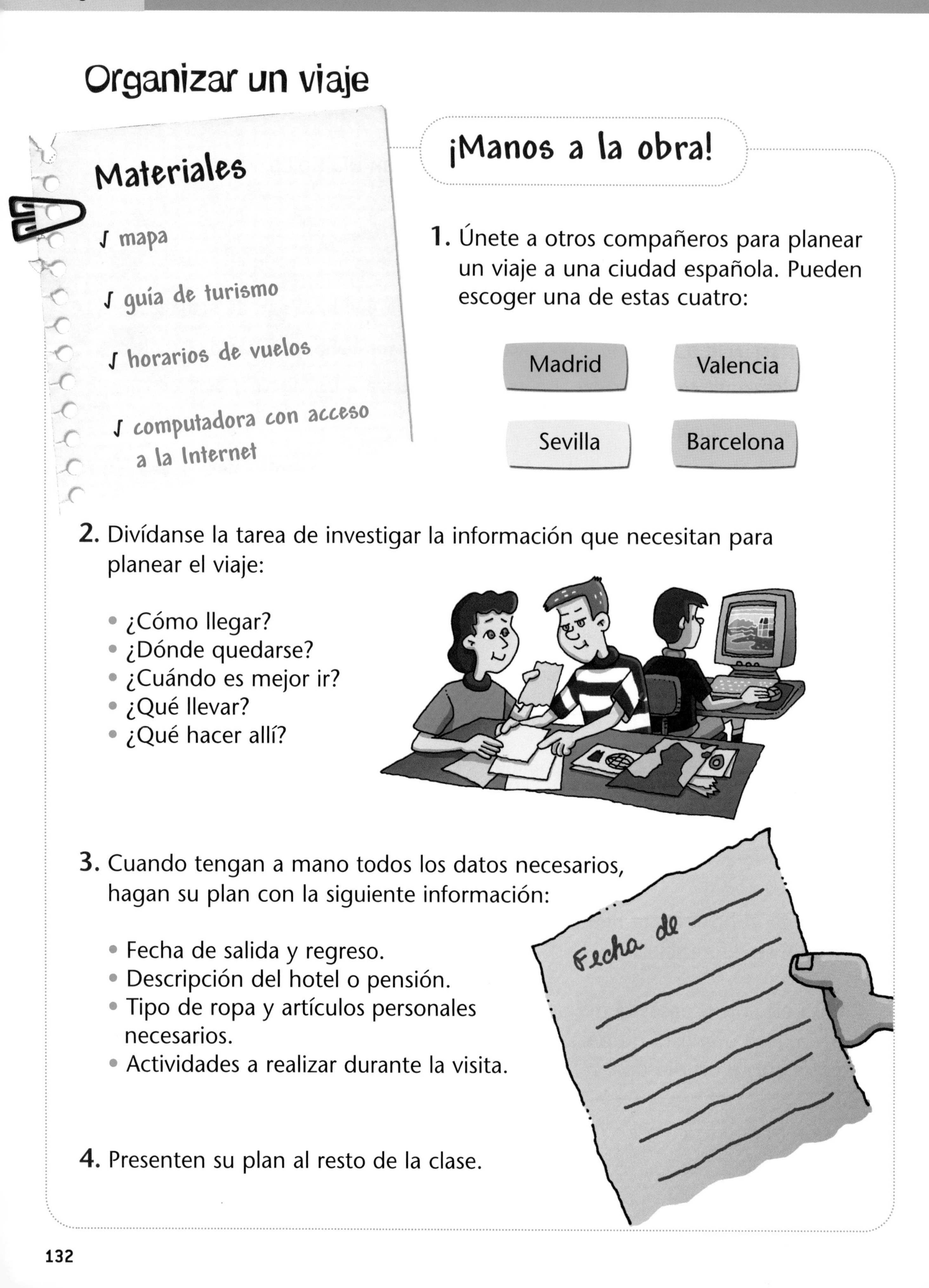

Organizar un viaje

Materiales

- mapa
- guía de turismo
- horarios de vuelos
- computadora con acceso a la Internet

¡Manos a la obra!

1. Únete a otros compañeros para planear un viaje a una ciudad española. Pueden escoger una de estas cuatro:

Madrid	Valencia
Sevilla	Barcelona

2. Divídanse la tarea de investigar la información que necesitan para planear el viaje:

- ¿Cómo llegar?
- ¿Dónde quedarse?
- ¿Cuándo es mejor ir?
- ¿Qué llevar?
- ¿Qué hacer allí?

3. Cuando tengan a mano todos los datos necesarios, hagan su plan con la siguiente información:

- Fecha de salida y regreso.
- Descripción del hotel o pensión.
- Tipo de ropa y artículos personales necesarios.
- Actividades a realizar durante la visita.

4. Presenten su plan al resto de la clase.

De excursión por Texas

Unidad 12

En esta unidad vas a:

- acompañar a nuestros amigos en su regreso a la clase.
- aprender el concepto de *variaciones léxicas* y enriquecer tu vocabulario con varios ejemplos.
- repasar que en español sólo hay dos contracciones: *al* y *del.*
- repasar el pretérito de algunos verbos para poder hablar del pasado.
- leer acerca de la historia de Texas.
- participar en un juego de variaciones léxicas.
- escribir sobre un lugar para visitar.
- inventar los símbolos nacionales de un país imaginario.

De regreso en la escuela

Lo más divertido fue subir las pirámides en Teotihuacan.
Sí, eso fue muy divertido.
Puf Puf
No para mi pobre abuela.
Nosotros también fuimos de viaje. Fuimos a Texas en una excursión.
En San Antonio unos amigos nos enseñaron palabras mexicanas.
¡BIEN
¿A que no saben qué son *cacahuates*?
Para mí, lo más interesante fue conocer el Centro Espacial de Houston.
Un astronauta nos habló de Marte.
Pues nosotros viajamos al espacio en la *Aitimar*.

Escuchen, niños. Quiero que se turnen para hablar de sus experiencias.
¿Puedo ser el primero para contarles del Centro Espacial?
Hagamos un sorteo para ver quién va primero.

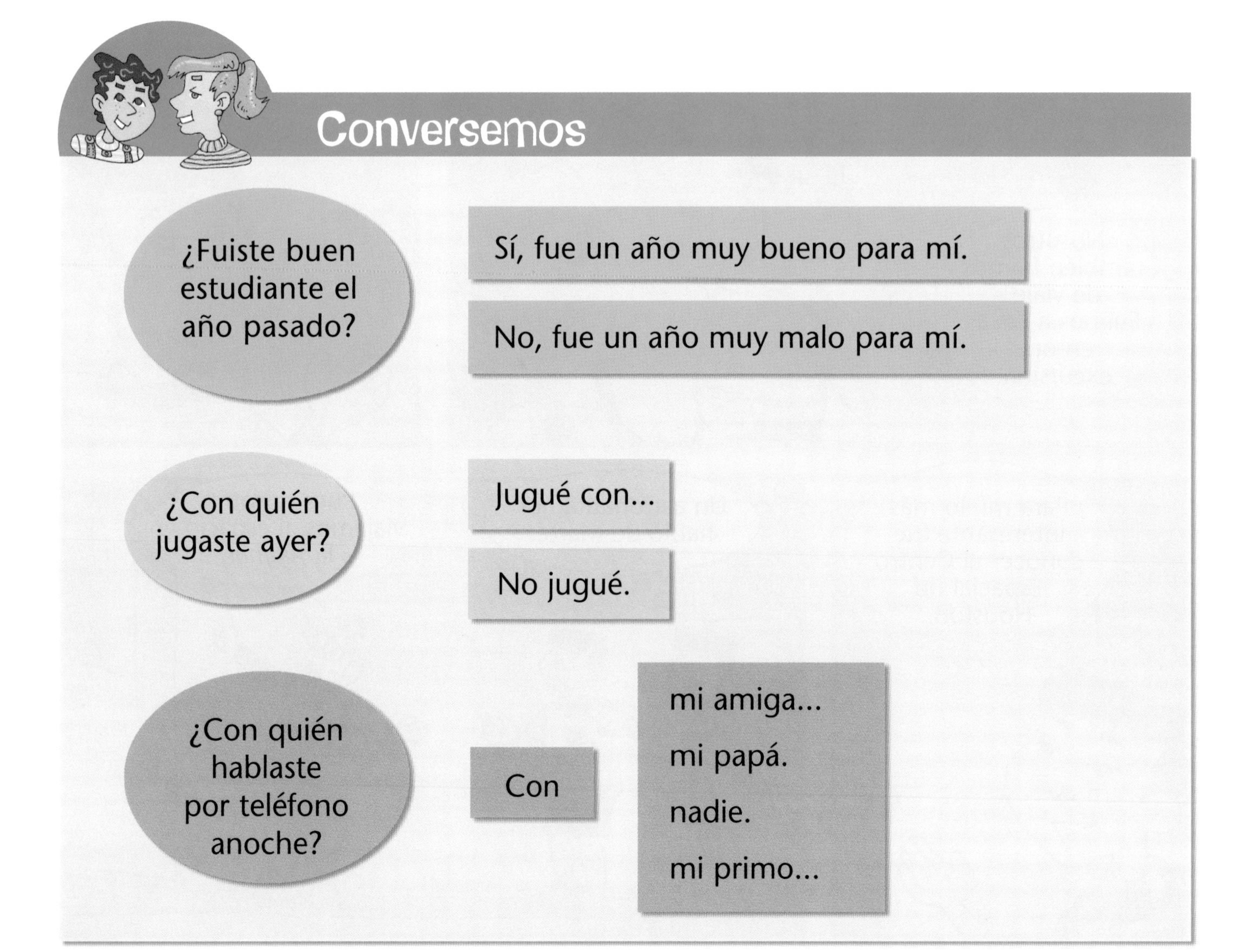
Conversemos
¿Fuiste buen estudiante el año pasado?
Sí, fue un año muy bueno para mí.
No, fue un año muy malo para mí.
¿Con quién jugaste ayer?
Jugué con...
No jugué.
¿Con quién hablaste por teléfono anoche?
Con
mi amiga...
mi papá.
nadie.
mi primo...

Variaciones léxicas

Según donde estés, así se dice:

Muchos dicen *maní*, pero en México son *cacahuates*.

Muchos dicen *naranja*, pero en Puerto Rico es una *china*.

Muchos dicen *tomate*, pero en México es un *jitomate*.

Muchos dicen *papas*, pero en España son *patatas*.

Muchos dicen *fresas*, pero en Argentina son *frutillas*.

Lo que te pones:

Muchos dicen *anteojos*, pero en España son *gafas*.

Muchos dicen *camiseta*, pero en Guatemala es una *playera*.

Muchos dicen *sandalias*, pero en México son *huaraches*.

Muchos dicen *suéter*, pero en España es un *jersey*.

Muchos dicen *pantalones vaquero*, pero en Puerto Rico son *mahones*.

APRENDE

Las palabras *cacahuate* y *jitomate* son palabras que provienen del náhuatl, la lengua de los indios aztecas. Otras palabras, como *aguacate* y *chocolate* también provienen del náhuatl.

Verbos en pretérito

- Escucha y observa.

El mes pasado **fuimos** a Madrid.

Texas **fue** parte del Imperio Español.

Ayer **hablamos** de nuestros viajes.

El pretérito es un tiempo verbal que se usa para expresar acciones y condiciones que ocurrieron en el pasado.

Los verbos irregulares *ir* y *ser* tienen las mismas formas en el pretérito:

(yo)	fu**i**	(nosotros, –as)	fu**imos**
(tú)	fu**iste**		
(él, ella)	fu**e**	(ellos, ellas)	fu**eron**
(usted)	fu**e**	(ustedes)	fu**eron**

Los verbos con infinitivos que terminan en *–ar* tienen las terminaciones siguientes:

(yo)	habl**é**	(nosotros, –as)	habl**amos**
(tú)	habl**aste**		
(él, ella)	habl**ó**	(ellos, ellas)	habl**aron**
(usted)	habl**ó**	(ustedes)	habl**aron**

Ejemplos:

Ayer **jugamos** un partido de básquetbol y **ganamos**.
Los niños **nadaron** toda la tarde.
¿Cuánto tiempo **duraste** bajo el agua?

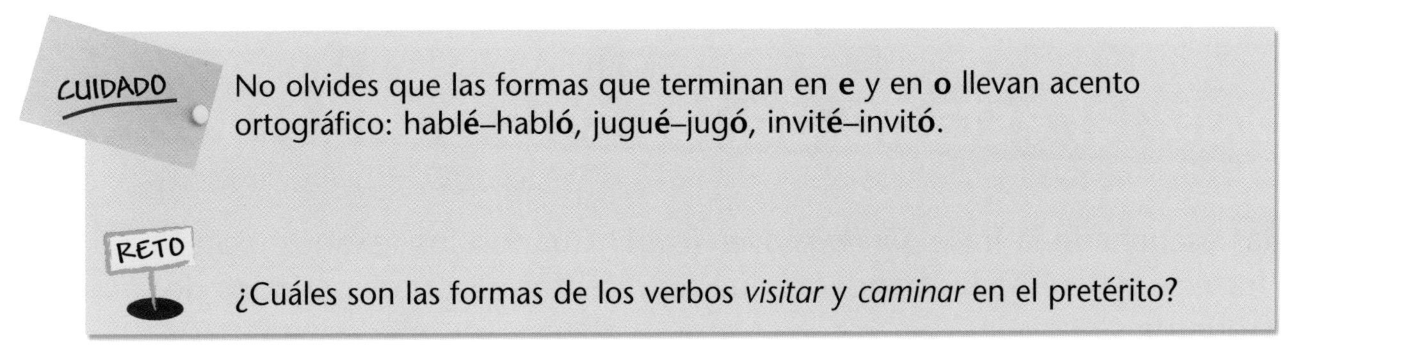

CUIDADO

No olvides que las formas que terminan en **e** y en **o** llevan acento ortográfico: habl**é**–habl**ó**, jugu**é**–jug**ó**, invit**é**–invit**ó**.

RETO

¿Cuáles son las formas de los verbos *visitar* y *caminar* en el pretérito?

Las contracciones *al* y *del*

- Escucha y observa.

Hoy es Día **del** Padre.

Hoy es Día **de la** Madre.

¿Quieres ir **al** cine, papá?

¿Quieres ir **a la** playa, mamá?

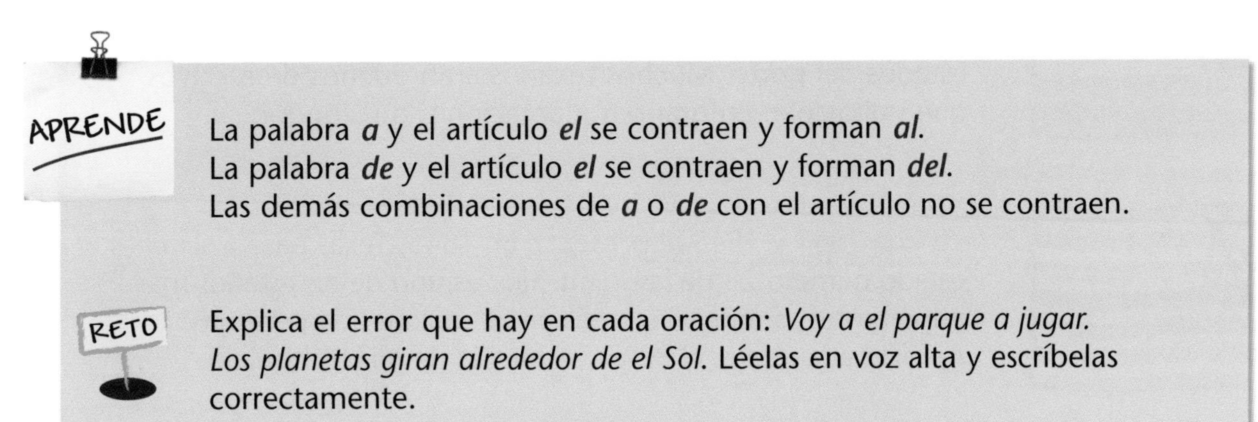

APRENDE

La palabra ***a*** y el artículo ***el*** se contraen y forman ***al***.
La palabra ***de*** y el artículo ***el*** se contraen y forman ***del***.
Las demás combinaciones de ***a*** o ***de*** con el artículo no se contraen.

RETO

Explica el error que hay en cada oración: *Voy a el parque a jugar. Los planetas giran alrededor de el Sol.* Léelas en voz alta y escríbelas correctamente.

Texas, el estado de las seis banderas

¿Has escuchado la frase *Six flags over Texas*? Cuando los texanos usan esta frase se refieren a las banderas que representan distintos períodos de la historia de su estado.

1519 a 1685 y 1690 a 1821 El área que hoy es Texas fue explorada por los españoles. Ellos trajeron el ganado a Texas. El origen de la ciudad que hoy se llama El Paso fue una misión española fundada en 1681.

1685 a 1690 Los franceses que ocupaban el territorio de Louisiana trataron de adueñarse de Texas. En el este de Texas, cerca de Louisiana y el Golfo de México, fundaron una colonia que no duró mucho.

1821 a 1836 Cuando México se independizó de España, Texas pasó a ser parte de México. Durante esos años, muchos mexicanos del sur y estadounidenses del norte se fueron a vivir a Texas. Al poco tiempo, los texanos se rebelaron contra el gobierno dictatorial del general mexicano Antonio López de Santa Anna.

1836 a 1845 Los texanos se independizaron de México cuando ganaron la batalla de San Jacinto, cerca de Houston, el 21 de abril de 1836. La República de Texas duró poco tiempo, pero no su bandera. Fue adoptada como bandera del estado cuando Texas pasó a ser parte de Estados Unidos.

1861 a 1865 Durante la Guerra Civil, Texas formó parte de la confederación de estados sureños que se separaron de los estados del norte. Muchos texanos eran dueños de esclavos que trabajaban en grandes plantaciones de algodón.

1845 a 1861 y 1865 al presente En 1845, Texas pasó a ser el estado número 28 de la Unión. Hoy es uno de los estados más importantes, donde viven más de 23 millones de personas. Aproximadamente, el 32 por ciento es de origen hispano.

Contesta

1. ¿De qué trata el texto que leíste?
   Trata de...
   a. la influencia de México en Texas.
   b. la influencia de España en Texas.
   c. la historia de Texas.
   d. la independencia de Texas.

2. ¿En qué año se independizó México?
   a. 1821 b. 1836 c. 1845 d. 1861

3. Antonio López de Santa Anna fue...
   a. un héroe de la independencia de Texas.
   b. un explorador español que fundó El Paso.
   c. un colonizador francés de Louisiana.
   d. un general mexicano que peleó contra los texanos.

4. Refiriéndose a las palabras *ganado* y *ganaron* que aparecen en el texto, ¿qué oración es incorrecta?
   a. *Ganado* es un sustantivo porque lleva el artículo *el* delante.
   b. *Ganaron* es una forma verbal que expresa un suceso que ocurrió en el pasado.
   c. El sustantivo *ganado* quiere decir *cattle* en inglés.
   d. *Ganaron* es un adjetivo que describe a los texanos.

5. ¿Qué representan las estrellas en la bandera de Estados Unidos? ¿Cuántas estrellas crees que había en la bandera después que Texas pasó a ser el estado número 28?

ACTIVIDAD

- Dibuja una línea de tiempo como la siguiente. Colorea la línea según la clave para indicar los períodos de la historia de Texas a partir de 1519. Copia la clave debajo de tu dibujo.

1500 1600 1700 1800 1900 2000 2100

Clave:
- Período español
- Período francés
- Período mexicano
- República independiente
- Estado confederado
- Estado de la Unión Americana

Muchos nombres para el mismo juguete

Hay muchos nombres para el juguete que aparece en esta página. Descubre cómo se le dice en distintos países, usando las banderas como pistas.

- En una hoja aparte, copia y completa las oraciones de abajo.

En Puerto Rico se le dice __.
En Venezuela se le dice__.
En la República Dominicana se le dice__.
En México se le dice __.
En España se le dice __.

Cartas a los amigos

1. Lee la carta que Bob escribió a su amigo Manuel.

jueves, 18 de abril

Querido Manuel:

Quiero contarte que cuando vengas a visitarme vamos a ir a acampar al Parque Nacional Big Bend, en el oeste de Texas. El parque se llama Big Bend por la curva en U que forma el Río Grande, en la frontera con México.

Como está algo retirado, en ese parque hay cientos de pájaros y animales salvajes. Casi toda el área que ocupa el parque es un desierto, pero a las orillas del río todo es muy verde, y los animales van al río a beber agua.

Parece que en el Big Bend siempre han vivido animales de toda clase. De repente descubrimos fósiles o huesos de dinosaurio, porque en esta región se han encontrado varios.

Vamos a hacer paseos en canoa y a montar a caballo. Si no sabes montar a caballo, yo te enseño. ¡Es muy divertido!

Hasta pronto.

Bob

2. Únete a tus compañeros para identificar las partes de la carta: la fecha, el saludo, el cuerpo, la despedida y la firma. Luego comenta con ellos qué dice la carta de Bob.

3. Piensa en un lugar de tu comunidad donde tú y un(a) amigo(a) que viene a visitarte podrían divertirse. Haz una lista de palabras y frases que puedas necesitar para describir qué hay y cómo es ese lugar.

4. Escribe una carta como la anterior, contándole a tu amigo(a) tus planes. Comparte tu carta con un(a) compañero(a) y revísala.

5. Lee tu carta a tu clase.

Símbolos nacionales

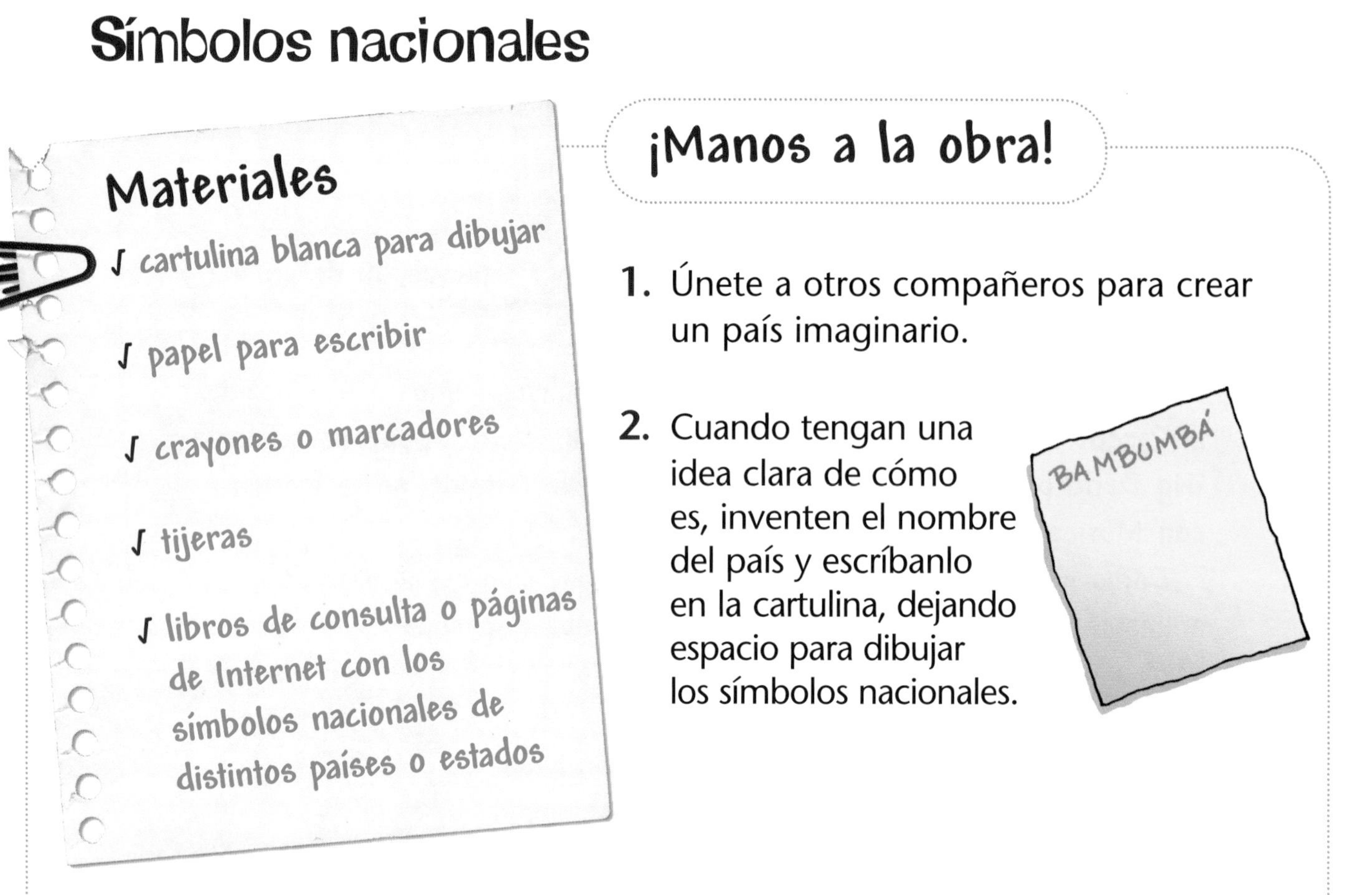

Materiales

- cartulina blanca para dibujar
- papel para escribir
- crayones o marcadores
- tijeras
- libros de consulta o páginas de Internet con los símbolos nacionales de distintos países o estados

¡Manos a la obra!

1. Únete a otros compañeros para crear un país imaginario.
2. Cuando tengan una idea clara de cómo es, inventen el nombre del país y escríbanlo en la cartulina, dejando espacio para dibujar los símbolos nacionales.
3. Dibujen estos símbolos nacionales de su país, debajo del nombre.

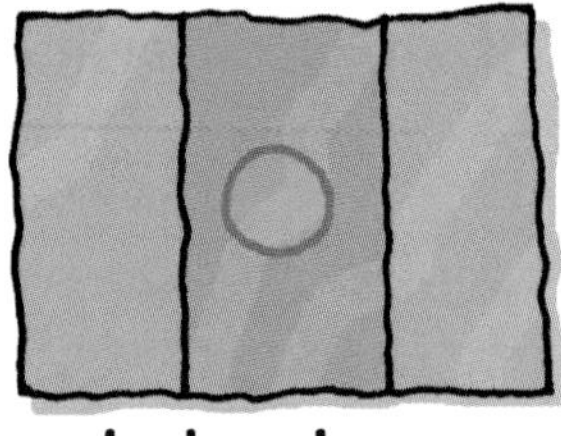
la bandera

el ave nacional

la flor nacional

4. Si necesitan ideas, pueden ver en libros o la Internet cómo son los símbolos de algunos países.
5. En una hoja aparte escriban algo interesante sobre su país imaginario. Peguen los escritos en la cartulina.
6. Exhiban su trabajo.

Historia de España en Estados Unidos

En esta unidad vas a:

- presenciar la clase del Sr. Gómez para conocer un poco sobre la exploración española.
- usar expresiones afirmativas y negativas.
- continuar aprendiendo el pretérito.
- aprender las formas de los adjetivos posesivos.
- leer acerca de qué hicieron algunas expediciones españolas.
- jugar un juego de mesa.
- escribir sobre una ciudad o pueblo.
- hacer un mapa señalando la ruta de un explorador español en Estados Unidos.

Otra clase de historia

HISTORIA
Perdone, profesor. Hay una señora en la puerta.
¡Ah, Patricia Robles! Llegó temprano.
Hola, buenas tardes.
¡Adelante, pasa!
Les voy a presentar a la Sra. Robles. Estudiamos juntos en la universidad. Ella siempre tuvo mejores notas que yo.
HISTORIA
Buenas tardes, niños. Su profesor me invitó para contarles qué hicieron los españoles en lo que ahora es Estados Unidos.
Buenas tardes.
Para empezar, les he traído un vídeo de San Agustín.
Lo vamos a mirar ahora.

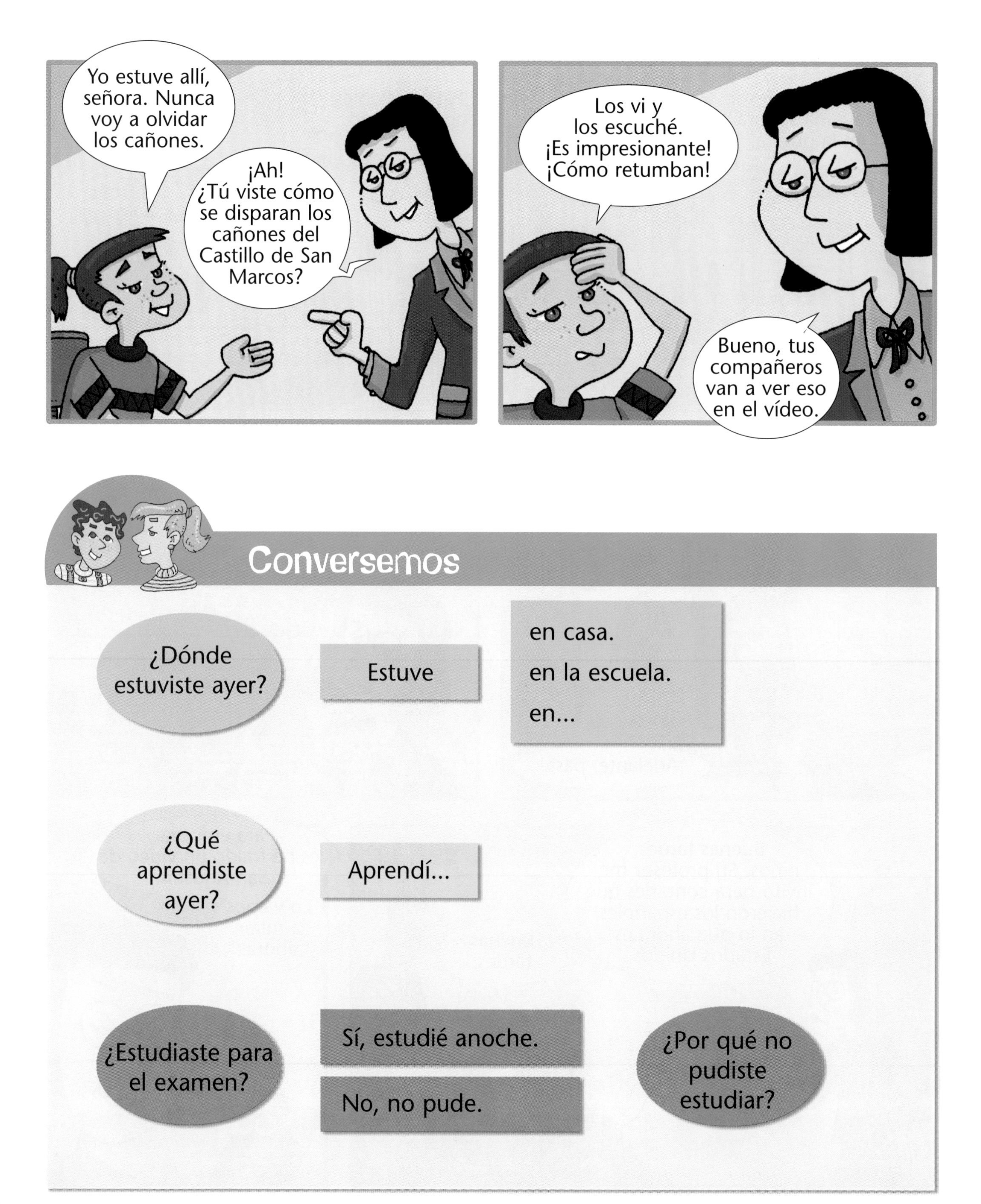
Yo estuve allí, señora. Nunca voy a olvidar los cañones.
¡Ah! ¿Tú viste cómo se disparan los cañones del Castillo de San Marcos?
Los vi y los escuché. ¡Es impresionante! ¡Cómo retumban!
Bueno, tus compañeros van a ver eso en el vídeo.
Conversemos
¿Dónde estuviste ayer?
Estuve
en casa.
en la escuela.
en...
¿Qué aprendiste ayer?
Aprendí...
¿Estudiaste para el examen?
Sí, estudié anoche.
No, no pude.
¿Por qué no pudiste estudiar?

Palabras negativas y la palabra **hay**

Algunos conocen San Agustín.
Siempre tenemos tarea.
Alguien hizo una pregunta.

Vamos a viajar en la *Aitimar*.
Hay tarea para mañana.
Hay muchos libros en el salón.

¿Qué hay en la mesa?

No hay nada.

Ninguno conoce San Agustín.
Nunca tenemos tarea.
Nadie hizo una pregunta.

No vamos a viajar en la *Aitimar*.
No hay tarea para mañana.
No hay muchos libros en el salón.

¿Tienes todos los papeles?

No tengo ninguno.

Las oraciones pueden ser afirmativas como las de la columna a la izquierda, o negativas como las de la columna a la derecha. A veces, la palabra *no* y otra palabra negativa se usan en la misma oración.

La palabra *hay* equivale a *there is* o *there are* en inglés.

Otros verbos en pretérito

- Escucha y observa.

Ayer **comimos** espaguetis.

Ella **escribió** su charla anoche.

Nancy **estuvo** en San Agustín.

Los verbos regulares con infinitivos que terminan en *–er* y en *–ir* tienen las mismas terminaciones:

	comer	*escribir*
(yo)	comí	escribí
(tú)	com**iste**	escrib**iste**
(él, ella)	comió	escribió
(usted)	comió	escribió
(nosotros)	com**imos**	escrib**imos**
(ellos, ellas)	com**ieron**	escrib**ieron**
(ustedes)	com**ieron**	escrib**ieron**

El verbo irregular ***estar*** tiene la raíz *estuv–* y las terminaciones siguientes:

(yo)	estuve	(nosotros, –as)	estuv**imos**
(tú)	estuv**iste**		
(él, ella)	estuvo	(ellos, ellas)	estuv**ieron**
(usted)	estuvo	(ustedes)	estuv**ieron**

Ejemplos:

Mi hermano **corrió** seis millas ayer por la tarde.
Miguel de Cervantes **nació** en 1547 y **murió** en 1616.
¿Qué **viste** en España cuando **estuviste** allí?

¿Cuáles son las formas del verbo *vivir* en el pretérito?

Los adjetivos posesivos

- Escucha y observa.

La Sra. Robles es **su** amiga.

¿Te gusta **mi** mascota?

La *Aitimar* es **nuestra** nave.

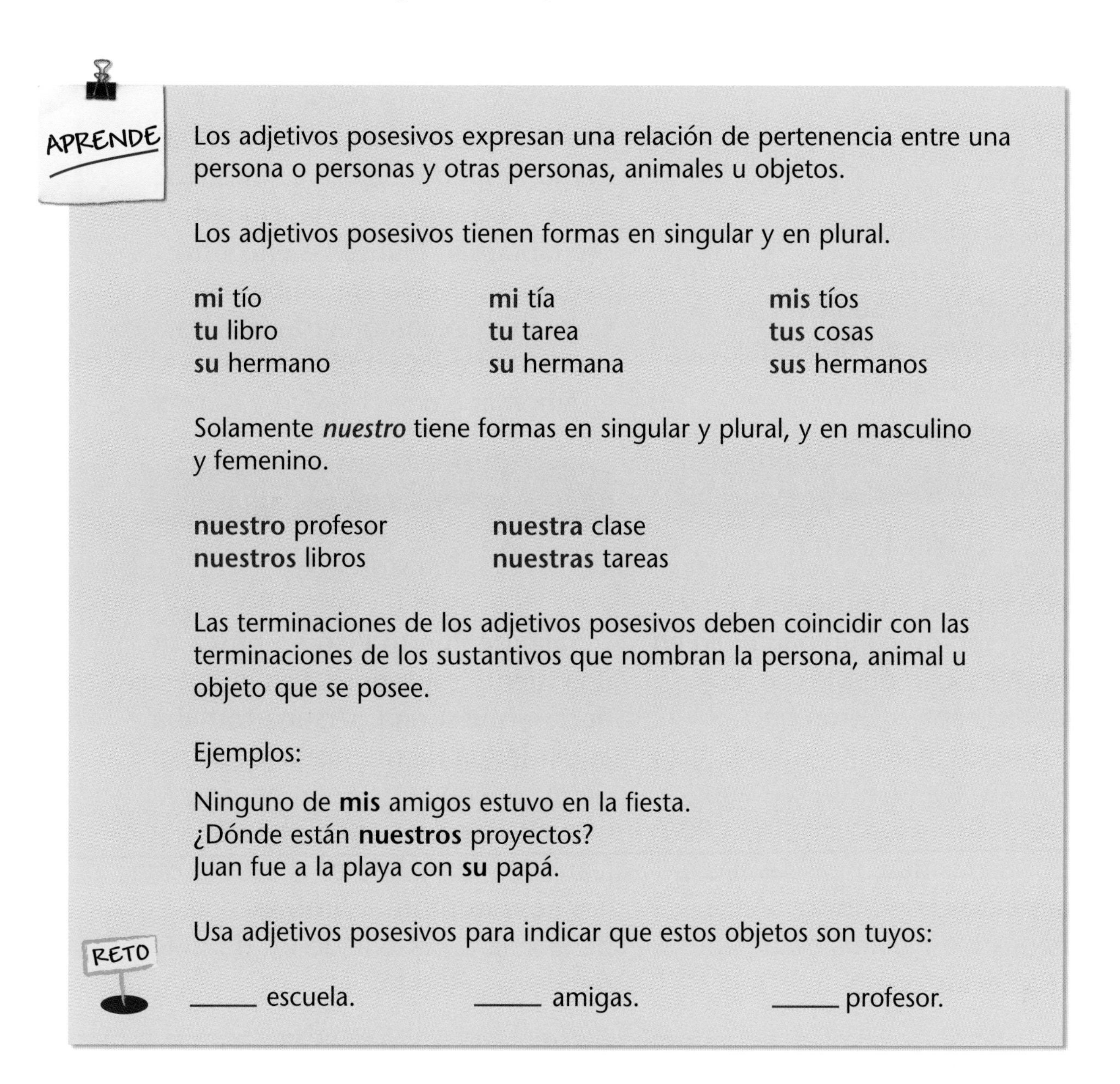

Los adjetivos posesivos expresan una relación de pertenencia entre una persona o personas y otras personas, animales u objetos.

Los adjetivos posesivos tienen formas en singular y en plural.

mi tío	**mi** tía	**mis** tíos
tu libro	**tu** tarea	**tus** cosas
su hermano	**su** hermana	**sus** hermanos

Solamente *nuestro* tiene formas en singular y plural, y en masculino y femenino.

nuestro profesor	**nuestra** clase
nuestros libros	**nuestras** tareas

Las terminaciones de los adjetivos posesivos deben coincidir con las terminaciones de los sustantivos que nombran la persona, animal u objeto que se posee.

Ejemplos:

Ninguno de **mis** amigos estuvo en la fiesta.
¿Dónde están **nuestros** proyectos?
Juan fue a la playa con **su** papá.

Usa adjetivos posesivos para indicar que estos objetos son tuyos:

_____ escuela. _____ amigas. _____ profesor.

Por tierras desconocidas

Varias expediciones españolas del siglo XVI recorrieron el sur de lo que es hoy Estados Unidos. Los siguientes exploradores caminaron por tierras donde ninguna persona de origen europeo había caminado antes.

Hernando de Soto

(1500?-1542)

Navegó de Cuba hasta la bahía del Espíritu Santo, hoy bahía de Tampa. Caminó por el territorio que hoy es el sur de Estados Unidos buscando cómo llegar al Océano Pacífico. Creía que el continente americano era una isla. Llegó hasta donde hoy está Chicago. Su expedición fue la primera de origen europeo que conoció el río Misisipi.

Alvar Núñez Cabeza de Vaca

(1490?-1560?)

Salió de España en busca de oro y aventuras y sobrevivió un naufragio en las costas del Golfo de México. Él y otros sobrevivientes fueron hechos esclavos por los indios Karankawa del este de Texas. Después de seis años, pudo escapar y caminó más de 3,000 millas por tierras desconocidas hasta llegar a la ciudad de México. Años después escribió *Naufragios*, un libro donde contó sus aventuras.

Francisco Vázquez de Coronado

(1510-1554)

Salió de México hacia el norte. Recorrió el territorio que hoy es parte del suroeste de Estados Unidos. Su expedición buscaba unas ciudades de oro fabulosas. Nunca las encontró, pero exploró el Gran Cañón del Colorado y recorrió tierras que hoy son parte de los estados de Texas, Oklahoma, Nuevo México y Arizona.

Juan Ponce de León

(1460?-1521)

Salió de Puerto Rico en busca de una fuente misteriosa. Los indígenas decían que si una persona tomaba agua de esa fuente, sería joven para siempre. Ponce de León navegó hasta llegar a una península que llamó Florida y hoy es el estado que lleva ese nombre. Llamó así a la península porque llegó un domingo de Pascua Florida.

Contesta

1. ¿Qué tienen en común los cuatro exploradores?
   a. Todos salieron de Cuba.
   b. Todos vivieron hace diez siglos.
   c. Todos estuvieron en lo que es hoy Estados Unidos.
   d. Todos visitaron el estado de la Florida.

2. La expedición de Hernando de Soto...
   a. conoció el río Misisipi.
   b. llamó Florida a la bahía donde está Tampa.
   c. perdió sus barcos.
   d. no llegó a la costa del Golfo de México.

3. ¿Quién escribió un libro donde cuenta qué le pasó?
   a. De Soto
   b. Ponce de León
   c. Cabeza de Vaca
   d. Vázquez de Coronado

4. ¿Qué buscaba Vázquez de Coronado?
   a. Una fuente. b. Nada. c. Una península. d. Unas ciudades de oro.

5. Navegar significa...
   a. viajar en barco.
   b. subirse a un barco.
   c. hundirse.
   d. caminar mucho.

6. ¿Te gustaría haber sido explorador o exploradora?
   ¿Por qué sí o por qué no?

- Busca en la enciclopedia o la Internet más información sobre uno de los exploradores mencionados en el texto. Escribe una pequeña biografía con la información que consigas.

Volver a España

- Juega con un compañero. Imagínense ser españoles del siglo XVI que vuelven a España después de vivir en Cuba. Para jugar necesitan una moneda.

1. Túrnense para lanzar la moneda.
2. Si la moneda cae cruz, avanzas dos espacios. Si cae cara, avanzas uno.
3. Si caes en un espacio con una carabela en dirección opuesta, pierdes tu turno.
4. El ganador, por supuesto, es quien primero llega a España.

Ciudades y pueblos

1. Lee qué escribió Tomás acerca de la ciudad de San Agustín.

SAN AGUSTÍN

Vivo cerca de San Agustín, en el norte de la Florida, a dos pasos de una playa muy bonita. La ciudad de San Agustín fue fundada en 1513. Tiene casi 500 años. La fundó el español Pedro Menéndez de Avilés. Es la ciudad de origen europeo más vieja de Estados Unidos.

Visitar San Agustín es como viajar al pasado porque hay muchos lugares históricos que son interesantes. En el Castillo de San Marcos, por ejemplo, te puedes imaginar que los piratas están atacando la ciudad. El Castillo de San Marcos es una fortaleza que construyeron los españoles a la orilla del mar. Cuando San Agustín era una colonia española, era atacada a menudo desde el mar. Durante el verano hay demostraciones de cómo se usaban los cañones para defender la ciudad.

2. Comenta con tus compañeros de qué trata el texto anterior.

3. Investiga cómo fue fundada la ciudad o pueblo dónde vives. Si prefieres, puedes investigar cualquier otra ciudad del mundo.

4. Cuando tengas la información, escribe dos párrafos como los anteriores. En el primero debes contarle al lector dónde queda la ciudad y cómo se fundó. En el segundo debes describir una atracción de la ciudad.

5. Escribe tu composición. No olvides ponerle título. Incluye una vista de la ciudad. Compártela con un(a) compañero(a) y revísala.

6. Presenta tu trabajo a tu clase.

Rutas de los exploradores

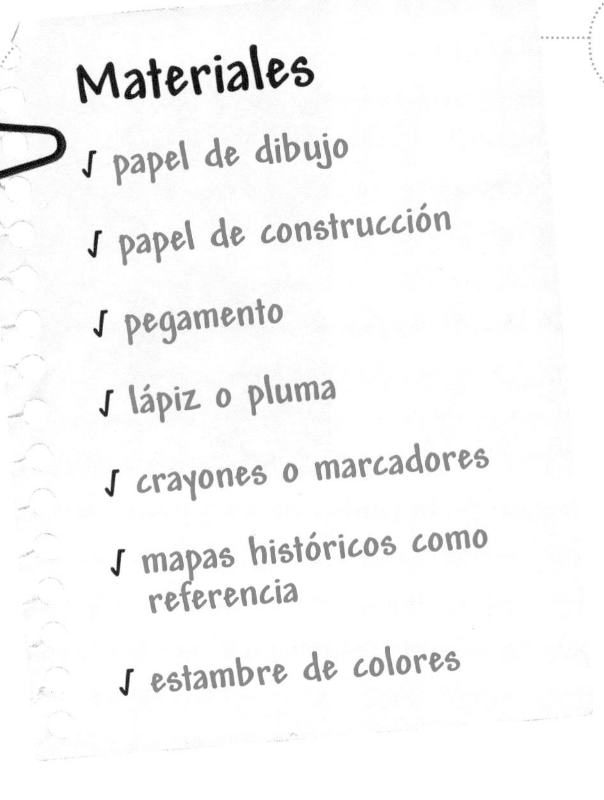

¡Manos a la obra!

1. Dibuja un mapa como éste. Recórtalo y pégalo en una hoja de papel de construcción.

2. Busca en un atlas de mapas históricos, una enciclopedia o la Internet mapas que muestren las rutas de los exploradores españoles del siglo XVI. Escoge una ruta para representar en tu mapa.

3. Indica la ruta del explorador que has escogido pegando el estambre en tu mapa.

4. Rotula y colorea tu mapa según creas necesario.

5. Ponle un título a tu mapa.

Cocinamos

En esta unidad vas a:

- enterarte de cómo celebra el final del año escolar la clase del Sr. Gómez.
- aprender el nombre de algunos alimentos.
- aprender las formas en pretérito de los verbos *tener* y *hacer*.
- reconocer las construcciones comparativas *tan… como* y *tanto… como*.
- leer e ilustrar un poema.
- jugar a las adivinanzas.
- escribir acerca de una comida que te gusta.
- preparar tacos.

Pícnic de despedida

Se hace con huevos y patatas, como dice él.
Tuvimos que hacer dos tortillas. La primera se nos quemó.
Miren cómo se hace el guacamole. Machacas aguacates maduros.
Después los mezclas con jugo de limón, cebolla picada y sal.
No es tan difícil de hacer como otros platos.
¿Podemos probar?
¡Sí, claro!
Necesita un poquito de salsa picante.
A mí me gusta como está.

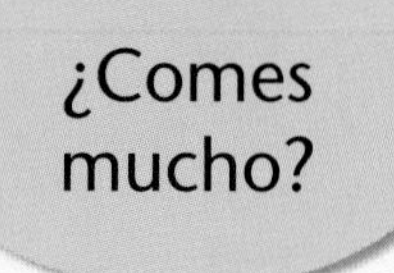

Conversemos

¿Comes mucho?

- Sí, como tanto como tú.
- No, no como tanto como tú.

¿Qué comiste ayer?

- Una hamburguesa.
- Huevos con jamón.
- Pollo con plátanos fritos.
- Una ensalada de lechuga y aguacate.

¿Tuviste que ayudar a preparar la comida?

Sí,
- lavé la lechuga.
- hice las hamburguesas.
- corté los plátanos.

Los alimentos

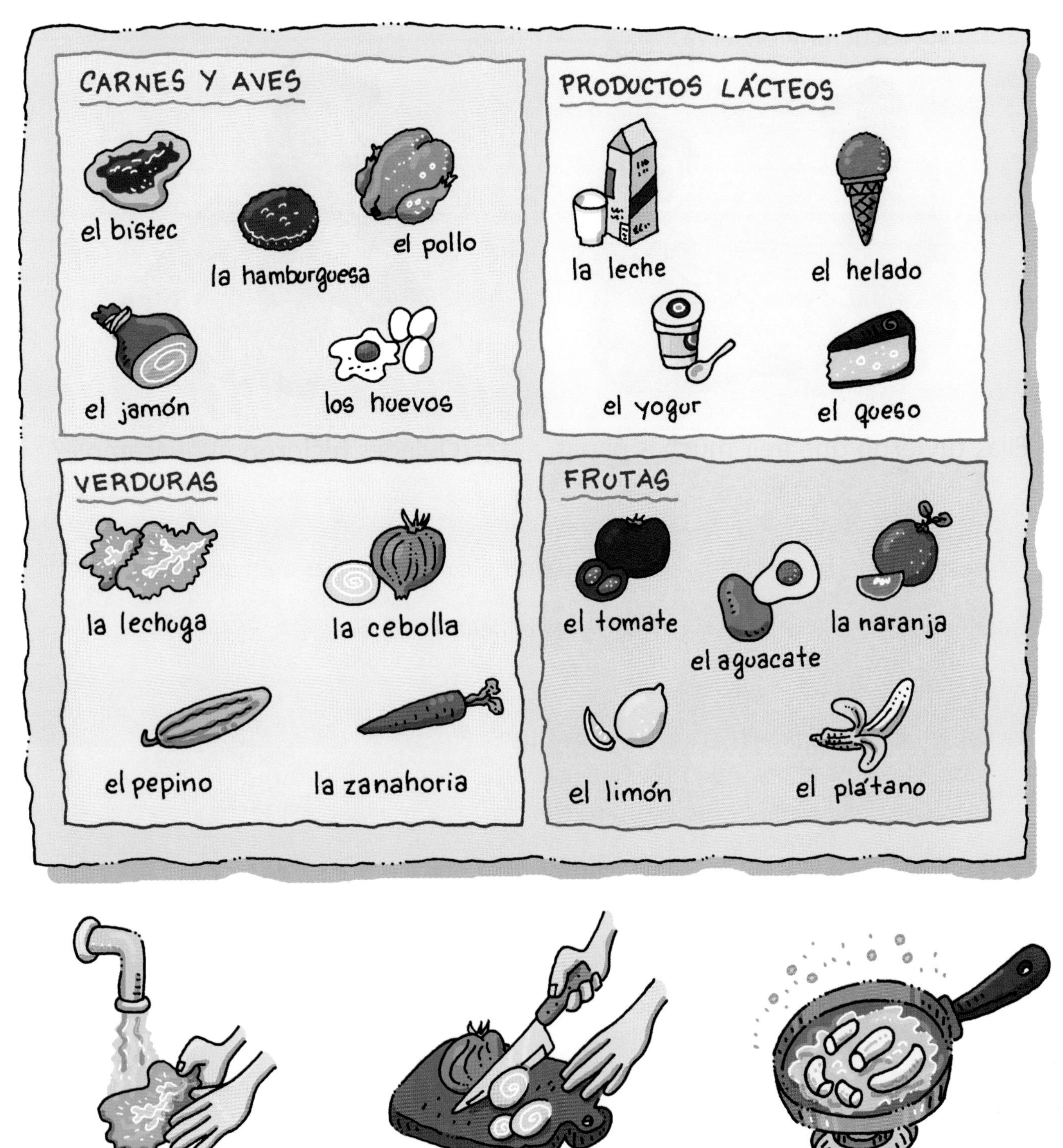

lavar

cortar

freír

CUIDADO

No olvides que la letra *h* es muda en español. No debes pronunciarla en palabras como *hamburguesa, huevo, helado* y *zanahoria*.

Otros verbos en pretérito

- Escucha y observa.

Ellas **tuvieron** que freír muchas papas.

¿Quiénes **hicieron** el guacamole?

En el pretérito, los verbos ***tener*** y ***hacer*** tienen las mismas terminaciones que *estar*.
Tener tiene la raíz *tuv–* y *hacer* tiene la raíz *hic–*.

	tener	*hacer*
(yo)	tuv**e**	hic**e**
(tú)	tuv**iste**	hic**iste**
(él, ella)	tuv**o**	hiz**o**
(usted)	tuv**o**	hiz**o**
(nosotros, –as)	tuv**imos**	hic**imos**
(ellos, ellas)	tuv**ieron**	hic**ieron**
(ustedes)	tuv**ieron**	hic**ieron**

Ejemplos:

Tuve que pelar zanahorias.
Ayer **tuvimos** una fiesta.
Juan **hizo** los sándwiches.
Mis tías **hicieron** hamburguesas.

CUIDADO

En la forma *hizo* la letra *c* de la raíz *hic–* se remplaza por *z* para mantener el sonido /s/.

Escribe tres oraciones, cada una con uno de estos verbos: *estar, tener* y *hacer* en el pretérito.

Las construcciones comparativas *tanto... como* y *tan... como*

- Escucha y observa.

Antonio hizo **tantos** sándwiches **como** Leslie.

La naranja está **tan** jugosa **como** el limón.

La construcción *tan... como* se usa para comparar cualidades que pueden ser iguales.
La construcción *tanto... como* se usa para comparar cantidades.
Tan es invariable pero *tanto* tiene formas en singular, plural, masculino y femenino.

tant**o** trabajo
tant**os** pepinos
tant**a** comida
tant**as** zanahorias

Ejemplos:

Arturo es **tan** bueno **como** su hermana.
El español no es **tan** difícil **como** el inglés.
Tenemos **tanto** dinero **como** ustedes.
No comí **tantos** helados **como** tú.

Escribe dos oraciones, una con la construcción *tan... como* y otra con la construcción *tanto* (*tanta, tantos, tantas*)*... como.*

A la compra

Día de mercado,
hay que hacer la compra.
Apunto en la lista
todas estas cosas:

leche, queso, huevos,
yogures y pan,
tomates, manzanas
y un kilo de sal.

Cojo mi dinero
y voy a la tienda.
Hago la compra
y pago la cuenta.

Y con dos pesetas
que me dan de vuelta,
¿qué puedo comprar?
Una piruleta
y...
¡no me queda más!

Contesta

1. ¿Qué tipo de texto leíste?
   a. Una lista **b.** Un poema **c.** Una carta **d.** Todos los anteriores

2. ¿Quién crees que sale a comprar?
   a. La mamá de un niño
   b. El abuelo de una niña
   c. Un niño o una niña
   d. Ninguno

3. ¿Cuántas cosas hay escritas en la lista?
   a. Tres **b.** Cinco **c.** Seis **d.** Ocho

4. ¿Qué es lo último que hace el personaje del poema?
   a. Paga la cuenta.
   b. Compra una piruleta.
   c. Camina al mercado.
   d. Hace una lista.

4. ¿Qué significa el sustantivo *la cuenta*?
   a. Es una historia.
   b. Es un papel que indica el precio de las cosas y su total.
   c. Es una fruta.
   d. Son todas las cosas que compra el personaje.

5. ¿Qué puedes comprar tú con un dólar?

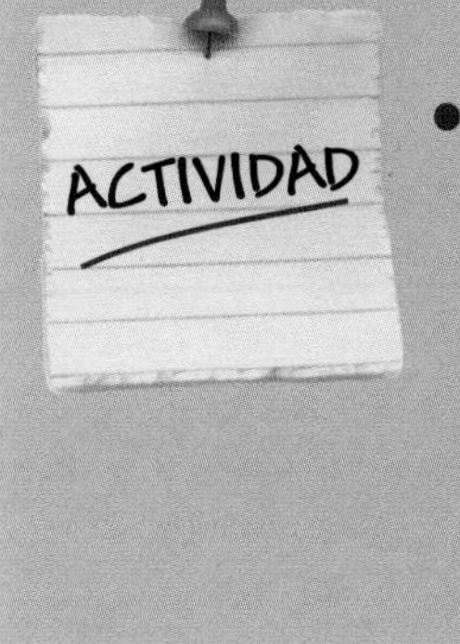

- Representa el poema anterior en una serie de cuatro bosquejos. En el primero, muestra qué hace el personaje al comienzo. En los demás bosquejos muestra qué hace sucesivamente hasta el final.

Adivinanzas

Oro parece,
plata no es.
Si estás atento
sabrás qué es.

Fui al mercado
y me enamoré de ella.
Volví a casa
y lloré por ella.

Nací bajo la tierra.
Tengo ojos y no veo.
Me usas para puré,
me horneas, me fríes...

Blanca por dentro,
verde por fuera.
Si quieres saber qué es,
espera y te lo diré.

Es una caja pequeña,
tan blanca como la nieve,
que todos pueden abrir,
y nadie puede cerrar.

Los platos que nos gustan

1. Lee qué escribió Teresa acerca de un plato que le gusta.

EL GAZPACHO

En mi casa preparamos una sopa deliciosa, que es muy refrescante cuando hace calor. ¿Sabes por qué? Porque es una sopa que se toma fría, nunca caliente. Se llama gazpacho.

El gazpacho lo hace mi mamá en una licuadora. Corta en trozos tomates maduros, uno o dos pepinos, cebolla y chile pimiento. Pone todo en la licuadora con un poco de agua. Yo agrego pedazos de pan italiano o francés. Cuando todo está deshecho, tienes un líquido espeso. Le echas un poquito de aceite, vinagre y sal. Revuelves todo y ya está.

Si nunca has probado el gazpacho, te invito a mi casa un día y lo pruebas.

2. Comenta con tus compañeros de qué trata el texto anterior.

3. Piensa en los platos que se preparan en tu casa. ¿Cuál te gusta más? ¿Qué puedes escribir sobre ese plato? Haz una lista de las palabras y frases que puedas necesitar para describir el plato y cómo se prepara. Si no sabes cómo se prepara pregunta o busca la receta en un libro de cocina o la Internet.

4. Escribe dos párrafos como los anteriores. En el primero debes describir el plato y en el segundo explicar cómo se prepara.

5. Escribe tu composición. No olvides ponerle título. Haz una ilustración del plato. Comparte tu trabajo con un(a) compañero(a) y revísalo.

6. Presenta tu trabajo a tu clase.

Tacos rápidos

Materiales

- los ingredientes
  - lata de frijoles refritos
  - lata de tomate en trocitos
  - bolsa de lechuga picada
  - bolsa de queso rallado
  - tortillas de maíz
- abrelatas
- platos hondos y cucharas para revolver y servir
- platos de cartón
- horno de microondas

¡Manos a la obra!

1. Abran las latas y las bolsas.

2. Viertan los frijoles en un plato para calentar en el horno de microondas.

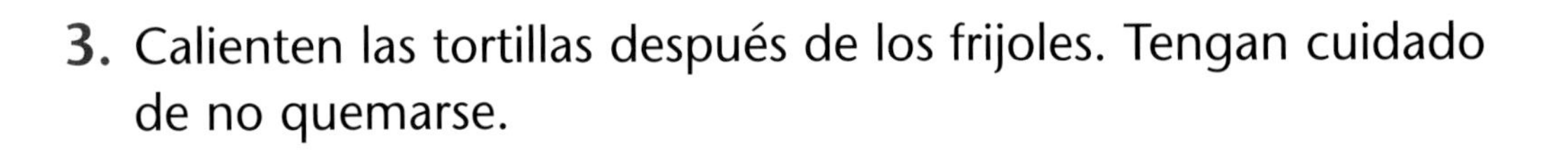

3. Calienten las tortillas después de los frijoles. Tengan cuidado de no quemarse.

4. Pongan todos los ingredientes en platos para servir.

5. Pongan los platos de cartón y los ingredientes como se muestra.

6. Preparen los tacos como sigue:

- Poner una tortilla en un plato.
- Echarle frijoles en el centro.
- Poner queso rallado sobre los frijoles.
- Añadir tomate y lechuga.

Vacaciones por llegar

En esta unidad vas a:

- enterarte de cómo planean pasar las vacaciones nuestros amigos.
- aumentar tu vocabulario para hablar de la computadora y los medios de comunicación.
- aprender las formas verbales que expresan acciones futuras.
- aprender a usar adjetivos demostrativos.
- leer acerca de los medios de comunicación.
- dar ejemplos de diferentes clases de palabras para ganar un juego.
- escribir una tarjeta postal.
- colaborar con tus compañeros para hacer un álbum de recuerdos.

¿Cómo nos vamos a comunicar?

Pero te podemos mandar cartas y tarjetas postales, como en los tiempos pasados.
¡Sí, claro!
Las tarjetas postales son más interesantes que los mensajes electrónicos.
Miren esta vista. Es una playa de Puerto Rico.
A ver, Nancy. Enséñame esa tarjeta postal.
Es una playa de su tierra, profesor.
¿Sr. Gómez, por qué no fuimos a su tierra?
No tuvimos tiempo para ir a Puerto Rico durante el año.
Pero podemos ir durante las vacaciones.

Conversemos

¿Qué vas a hacer durante las vacaciones?	Iré a	visitar a mis abuelos. la playa. conocer California.
¿Estudiarás?	Sí. Tomaré clases de	tenis. natación. gimnasia. piano. guitarra.
¿Estás usando	este atlas? esta silla? aquella computadora? aquel libro?	Sí. No.

La computadora

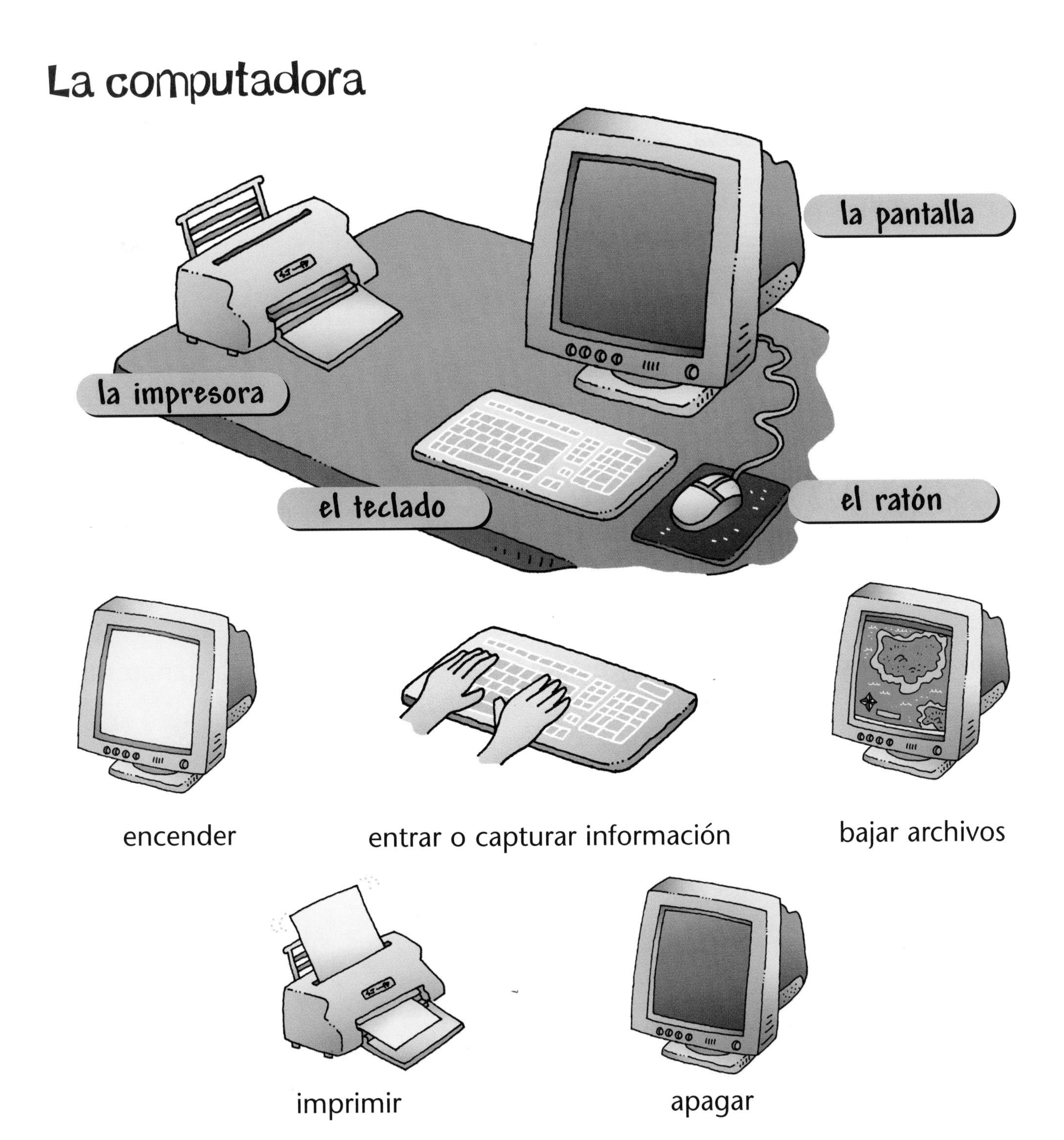

- Observa las palabras subrayadas:

Encendí la computadora para imprimir un documento y ver cómo está el tiempo en Tampa.

Antes de la letra *p* no se usa la letra *n* sino la letra *m*, como en las palabras subrayadas.

El futuro

- Escucha y observa.

AYER

Ayer **ganamos** 2 a 0.

HOY

Hoy **estamos** cansadas.

MAÑANA

Mañana **ganaremos** otra vez.

APRENDE

El futuro se forma con las terminaciones siguientes que se añaden al infinitivo del verbo.

	ganar	*comer*	*ir*
(yo)	ganar**é**	comer**é**	ir**é**
(tú)	ganar**ás**	comer**ás**	ir**ás**
(él, ella)	ganar**á**	comer**á**	ir**á**
(usted)	ganar**á**	comer**á**	ir**á**
(nosotros, –as)	ganar**emos**	comer**emos**	ir**emos**
(ellos, ellas)	ganar**án**	comer**án**	ir**án**
(ustedes)	ganar**án**	comer**án**	ir**án**

Ejemplos:

Iré a Puerto Rico la próxima semana.
En el futuro **viajaremos** en naves espaciales.
Usaremos la computadora más tarde.

¿Cuáles son las formas del verbo *vivir* en el futuro?

Los adjetivos demostrativos

- Escucha y observa.

¿Quieres **esta** estrella de mar?

¿Adónde va **ese** cangrejo?

¡Ay, **aquel** animal es un tiburón!

Los adjetivos demostrativos se usan para indicar o señalar algo específico. Puede ser una persona, animal o cosa.
Los adjetivos demostrativos tienen número (singular o plural) y género (masculino o femenino). La forma del adjetivo demostrativo debe coincidir con el número y género del sustantivo a que se refiere.

Singular		Plural	
Masculino	Femenino	Masculino	Femenino
este	**esta**	**estos**	**estas**
ese	**esa**	**esos**	**esas**
aquel	**aquella**	**aquellos**	**aquellas**

Ejemplos:

este libro　**esta** tarea　**estos** dibujos　**estas** computadoras
aquel señor　**aquella** señora　**aquellos** niños　**aquellas** niñas

Se usa ***este*** y sus formas cuando se señala algo que está muy cerca.
Se usa ***ese*** y sus formas cuando se señala algo que está a media distancia entre cerca y lejos.
Se usa ***aquel*** y sus formas cuando se señala algo que está lejos.

¿Qué adjetivo demostrativo usarías…
para señalar unos barcos que están a gran distancia?
para señalar una computadora que está en la mesa frente a ti?

Los medios de comunicación

Es cierto que podemos comunicarnos sin palabras, usando señas y gestos. También lo podemos hacer con herramientas y aparatos. En las carreteras, las señales y avisos son medios de comunicación; en la ciudad, lo son los semáforos. Pero la herramienta principal para la comunicación es el lenguaje.

Los seres humanos usamos el lenguaje para comunicarnos. Con el lenguaje podemos conversar. De esta manera compartimos nuestras ideas, opiniones, experiencias y sentimientos. La conversación es el medio más directo para comunicarnos. Pero si no estamos con la persona con quien queremos conversar o platicar, necesitamos de los medios que hacen que las palabras viajen: el teléfono, el fax, el correo postal y el correo electrónico.

También existen los medios que se llaman de comunicación masiva. Éstos son el periódico, la radio, la televisión y la Internet. Estos medios son muy importantes porque pueden llevar información a un gran número de personas al mismo tiempo.

El mundo es muy grande y aunque no vivamos unos cerca de otros, podemos comunicar nuestros pensamientos en cualquier momento.

Si vas a viajar durante las vacaciones, ¿ya sabes cómo te comunicarás con tus amigos y parientes en casa? ¿Escribirás tarjetas postales o buscarás una computadora para mandar mensajes electrónicos?

Contesta

1. ¿Por qué el texto dice que los semáforos son un medio de comunicación?
   a. Porque tienen luces.
   b. Porque expresan un mensaje con sus luces.
   c. Porque controlan.
   d. Porque son necesarios.

2. Para mandar un correo electrónico se necesita...
   a. conversar con una persona.
   b. leer el periódico.
   c. imprimir un documento.
   d. tener una computadora.

3. La televisión es un medio que...
   a. da información a muchas personas al mismo tiempo.
   b. no necesita usar el lenguaje para dar información.
   c. se necesita para viajar.
   d. no comunica los pensamientos de las personas.

4. ¿Qué terminación es incorrecta?
   La palabra *parientes*...
   a. está en plural.
   b. es un falso cognado.
   c. se refiere al papá y a la mamá.
   d. se refiere a todos los miembros de una familia.

5. ¿Para qué usas la computadora?

ACTIVIDAD

- Con un compañero o compañera, completa una red de palabras sobre los medios de comunicación.

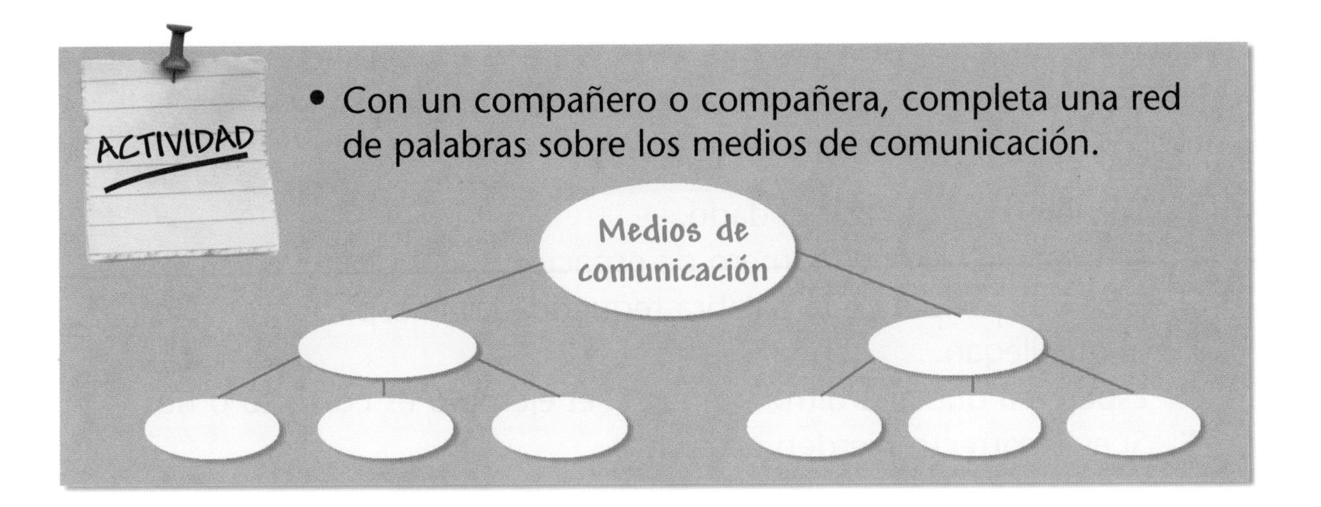

El juego de las palabras

- Has aprendido que las palabras se dividen en sustantivos, artículos, adjetivos y verbos según su función. Ahora, pon a prueba tus conocimientos con este juego.
- Jueguen entre tres: dos jugadores y un árbitro que debe proveer un dado y una ficha para cada jugador.

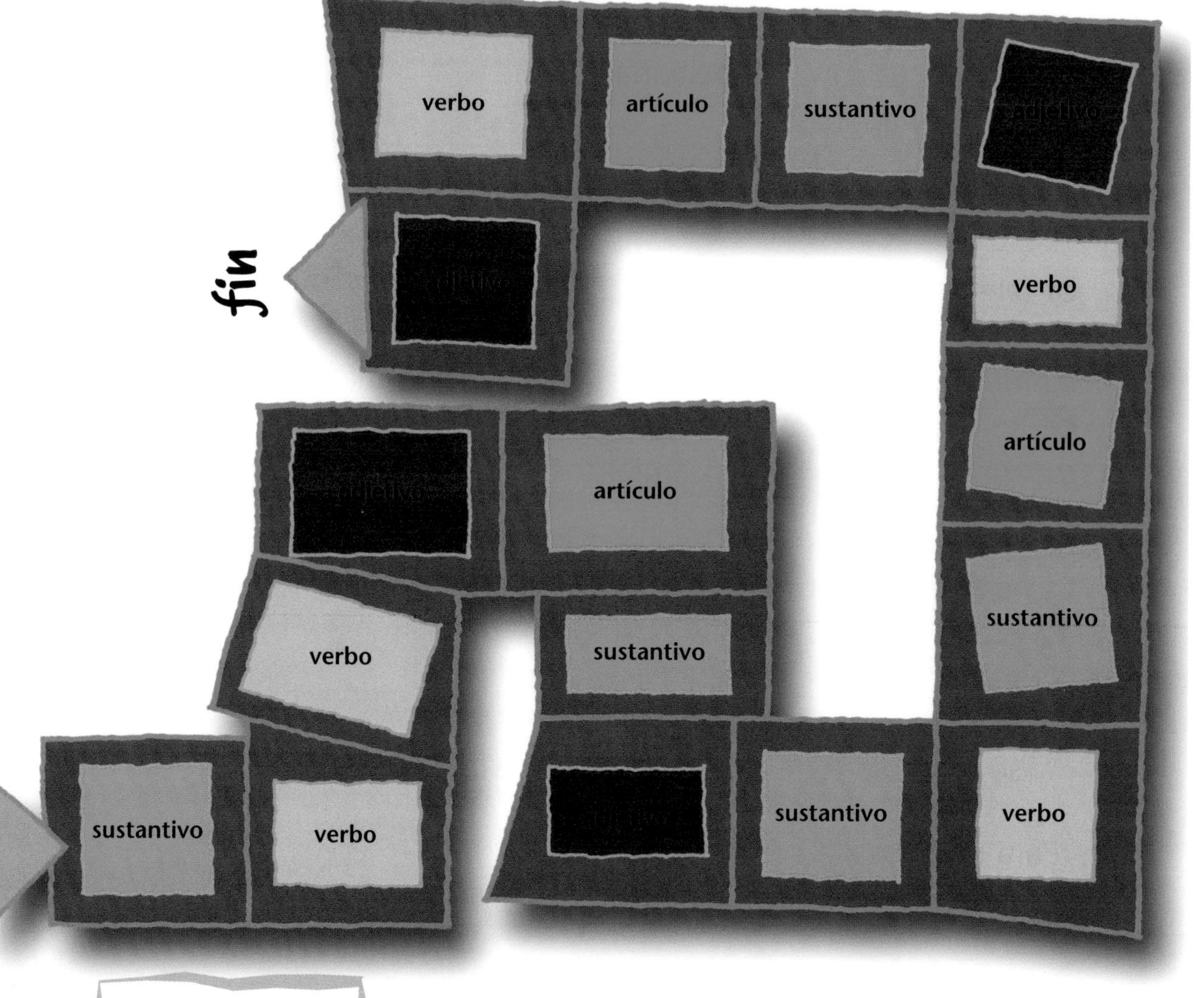

REGLAS

1. Túrnense para lanzar el dado.
2. Muevan su pieza el número de espacios que indica el dado.
3. Den un ejemplo de la palabra requerida en el espacio al que llegan.
4. Esperen a que el árbitro indique si el ejemplo es correcto o no.
5. Si es incorrecto pierden un turno.

Tarjetas postales

1. Rita está de vacaciones y le ha escrito una tarjeta postal a su amiga en México.

2 de agosto

Querida Patty:

California es un lugar fantástico. Todos los días me divierto y aprendo algo nuevo. ¿A que no sabes que los pantalones vaquero o "bluyins" como dicen aquí se inventaron en San Francisco? Mañana iremos a un parque acuático que está cerca. Creo que para llegar vamos a cruzar el puente Golden Gate. Estoy tomando muchas fotos para enseñarte cuando regrese.

Tu amiga,

Rita

Patty Fernández
Condesa 43
03100 México D.F.
México

2. Únete a tus compañeros para identificar las partes de la tarjeta postal. ¿Dónde aparece la dirección de la persona a quien le mandas la tarjeta? ¿Dónde escribes el mensaje? ¿Qué vista crees que muestra el otro lado de la tarjeta?

3. Imagina que estás de vacaciones visitando una ciudad, estado o país. Piensa en el lugar donde estás. ¿Qué le escribirías a un amigo o amiga acerca de ese lugar? Si es necesario, busca información sobre el lugar para saber qué vas a escribir.

4. Escribe una tarjeta postal como la anterior a tu mejor amigo o amiga. Cuéntale un dato interesante del lugar donde estás.

5. Lee tu postal a tus compañeros.

Álbum de recuerdos

Materiales

- √ cámara fotográfica desechable
- √ papel de construcción de colores claros
- √ pegamento o cinta adhesiva
- √ crayones y marcadores
- √ engrapadora

¡Manos a la obra!

1. Este proyecto se tiene que hacer en dos partes. Primero, únete a un compañero o compañera. Túrnense para tomarse una foto. Tu compañero o compañera te toma una foto, y tú le tomas una a él o ella.

2. Continúen con el proyecto cuando las fotos estén listas. Entre todos, recuerden las experiencias que vivieron durante el año.

3. Pega tu foto en una hoja de papel de construcción. Deja espacio debajo para escribir.

4. Escribe algo especial que recuerdas tú. Puedes completar la frase siguiente: *Para mí el momento más memorable fue...* Luego escribe tu nombre.

5. Cuando terminen, junten todas las hojas para hacer un libro. Escojan a un compañero o compañera para hacer las cubiertas o portadas.

6. Armen el libro y engrapen las hojas por el margen izquierdo.

Vocabulario español-inglés

Vocabulario español-inglés

The following abbreviations have been used:

adj. adjective
adv. adverb
aux. auxiliary
com. command
conj. conjunction
dem. adj. demonstrative adjective
f. feminine
fig. figurative
indef. pron. indefinite pronoun
interr. pron. interrogative pronoun
irreg. irregular
m. masculine
pers. d.o. personal direct object
pers. pron. personal pronoun
pl. plural
poss. adj. possessive adjetive
pret. preterit
rel. pron. relative pronoun
s. singular

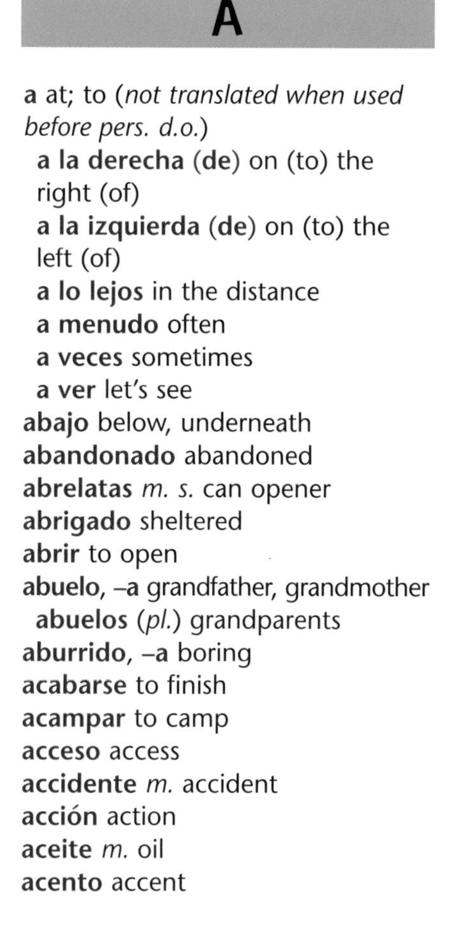

A

a at; to (*not translated when used before pers. d.o.*)
 a la derecha (**de**) on (to) the right (of)
 a la izquierda (**de**) on (to) the left (of)
 a lo lejos in the distance
 a menudo often
 a veces sometimes
 a ver let's see
abajo below, underneath
abandonado abandoned
abrelatas *m. s.* can opener
abrigado sheltered
abrir to open
abuelo, –a grandfather, grandmother
 abuelos (*pl.*) grandparents
aburrido, –a boring
acabarse to finish
acampar to camp
acceso access
accidente *m.* accident
acción action
aceite *m.* oil
acento accent
acentuarse to accent
acerca about
aciertas you (*s.*) succeed
acompañar to accompany
acostarme (**o→ue**) *irreg.* to go to bed
actividad *f.* activity
acuario aquarium
acuático, –a aquatic
acuerdo agreement
adaptar to adapt
adelante come in
adentro inside
adhesivo, –a adhesive
adivinador, –a guesser
adivinanza riddle
adivinar to guess
adjetivo adjective
admirable admirable
admirar to admire
adónde where (*interr.*)
aéreo, –a air
afectar to affect
afilado, –a sharp
afirmativo, –a affirmative
afuera outside
agalla gill
agenda agenda
agosto August
agregando adding
agregar to add
agua *m.* water
aguacate *m.* avocado
Ah! Ah!
ahora now
 ahora no not now
aire *m.* air
ajo garlic
al (**a** + **el**) to the, at the, the (*with pers. d.o. noun*)
 al comienzo at the beginning
ala *m.* wing
álbum *m.* album
 álbum de recuerdos keepsake album
alcanzar (**z→c**) *irreg.* to reach
alegría happiness
alemán, –ana German
algo something, anything
algún (*before m. s. noun*) some, any
 alguno, –a some, any
alimentación food
alimento food
allí there
alrededor around
alto, –a high, tall
amable kind
amarillo yellow
americano, –a American
amigo, –a friend
añadir to add
anaranjado orange
andar to come along, go, walk
 andar en bicicleta to go bicycling
anduvo it walked
angosto, –a narrow
anillo ring
animal *m.* animal
año year
anoche last night
anota *com.* write down
anteojos *m. pl.* eyeglasses
anterior previous
antes before
antiguo, –a ancient
antipático, –a disagreeable, unpleasant
anuncio announcement
apagar to turn off (*a computer*)
aparecer (**c→zc**) *irreg.* to appear
aparte separate
aprender to learn
aprendí I learned
aprendido learned
aprendiendo learning
aprendiste you learned
aquel *dem. adj.* that (*before m. s. noun*)
 aquello, –lla *dem. adj.* that
 aquellos, –as *dem. adj.* those
aquí here
 aquí tienen here are
árbitro referee, judge
archivo archive
área *m.* area
arena sand
armar to assemble
aro hoop
artículo article
artista *m./f.* artist
así like this, like that
aspecto appearance
astro star, planet
atacada attacked

atacando attacking
atacar to attack
atención attention
atento, –a attentive
atlas *m.* atlas
atracción attraction
atrás back, backwards, behind
atraviesa crosses (over)
aumentar to add
aún even, still
australiano, –a Australian
autobús *m.* bus
automáticamente automatically
automóvil *m.* car
avanzar to advance
ave *m.* bird
aventura adventure
averiguar to find
avión *m.* airplane
ay alas
ayer yesterday
ayudar to help
azteca Aztec
azul blue

bailar to dance
bailarina ballet dancer
baile *m.* dance
bajar archivos to download (on a computer)
bajarse to get down, go down
bajo, –a low
ballena whale
ballet *m.* ballet
baloncesto basketball (game)
bañar (a) to bathe
banda musical group
bandeja tray
barco boat
barra bar
barracuda barracuda
barril *m.* barrel
barrio neighborhood
base *f.* base
básquetbol basketball (game)
bebé *m./f.* baby
beber to drink
béisbol *m.* baseball (game)
biblioteca library
bicicleta bicycle
bien well
bienvenidos welcome
bigote *m.* whisker
bípedo, –a biped
bistec *m.* beef
blanco, –a white
bluyins *m. pl.* blue jeans
boca mouth
bolita small ball
bolsa bag
bombillo electric light bulb
bonito, –a handsome, pretty
bosquejo draft, sketch
brazo arm
brillante brilliant
brillar to shine
brocha paintbrush
buenas tardes good afternoon
bueno, –a good
buscar to look up, watch
buzo, –a diver

C

caballo horse
cacahuate *m.* peanut (Mexico)
cada each, every
caer to fall
café *m.* café
caja box, pot
calentar to heat
caliente warm, hot
calor *m.* heat
cámara camera
cambiar to change
caminando walking
caminar to walk
camino road
camión *m.* truck
camiseta T–shirt
campo countryside
canal *m.* canal
canción song
cangrejo crab
  cangrejo ermitaño hermit crab
canoa canoe
cañón *m.* cannon, canyon
cansado, –a tired
cantante *m./f.* singer
cantar to sing
cantidad *f.* quantity
capital *f.* capital (city)
capturar to enter (information on a computer)
cara face, face up, heads (in a coin)
carabela caravel
característica characteristic, feature
carbón coal
cardinal cardinal (point)
carga cargo, load
cargado loaded
cariñoso, –a affectionate
carita little face
carne *f.* meat
carnívoro, –a carnivorous
carrera race
carretera highway
carro car, train car
carta letter
cartón *m* cardboard
cartulina cardboard
casa house
casi almost
caso case
catorce fourteen
causa cause
cazaba it hunted
cebolla onion
celebrar to celebrate
celeste sky blue
cena dinner, supper
cenar to have dinner, to have supper
centena hundredth
centígrado, –a centigrade
central central
centro center
cerca near
cercano near, close by
cerebro brain
cero zero
cerrar (e→ie) *irreg.* to close
charla chat
chichigua kite (Dominican Republic)
chiflido whistle
chile pimiento green or red sweet pepper
china orange (Puerto Rico)
chiringa kite (Puerto Rico)
chocolate *m.* chocolate
chofer *m.* driver
cielo sky
ciento one hundred
  cientos hundreds
cierra *com.* close; it closes
cierto true
cigarra cicada
cima top, summit
cinco five
cine *m.* movie

cinta tape
 cinta adhesiva adhesive tape
circo circus
círculo circle
ciudad *f.* city
claro *adv.* of course
claro, –a bright, clear
clase *f.* type, classroom
clavar to nail
clima *m.* climate
coche *m.* car
cocina kitchen
cognado cognate
coincidir to agree
colaborar to collaborate
colgar (o→ue) *irreg.* to hang
colocarse to be placed
color color
colorado, –a red, reddish
colorear to color
columna column
comentar to talk about
comer to eat
comerá you, he, she, it will eat
comerán you (*pl.*), they will eat
comerás you (*s.*) will eat
comeré I will eat
comeremos we will eat
cometa *m.* comet, *f.* kite
comí I ate
comida food, meal
comiencen you (*pl.*) begin
comienza it begins
comienzo beginning
comieron you (*pl.*) ate
comimos we ate
comió you, he, she, it ate
comiste you (*s.*) ate
cómo how
como like, as
compañero, –a classmate
comparación comparison
comparar to compare
compartir to share
compás *m.* compass
completar to complete
completo, –a complete
composición *f.* composition
computadora computer
común common
comunicar to communicate
comunidad *f.* community
con with
concepto concept
concierto concert
concordancia agreement
condesa countess
condición condition
conducir (c→zc) *irreg.* to drive
conejo, –a rabbit
confundir to confuse
conjugación conjugation
conocer *irreg.* to know, be acquainted with someone
conocido known
conocimiento knowledge
conseguir (e→i) *irreg.* to get
consigan com. you (*pl.*) get
consigo, –a with oneself, himself, herself
constante constant
construcción construction
construyeron built; they constructed
consulta consultation
consultar to follow, look up in
contacto contact
contar (o→ue) *irreg.* to tell, say
contento, –a happy
contestar to answer
contiene it contains
continente *m.* continent
continuar to continue
contracción contraction
contraerse to contract
conversación *f.* conversation
conversar to talk
copia copy
copiar to copy
correctamente correctly
correcto, –a correct
correo mail
 correo electrónico email
correr to run
corresponder to correspond
correspondiente corresponding
corrió he ran
cortar to cut
corte *m.* cut
corté I did cut
corto, –a short
cosa thing
costa coast
costumbre *f.* custom
crayón *m.* crayon
crear to create
crecer to grow
creer to believe, think
cruz *f.* cross, tails (of a coin)
cruzarse to cross (each other)
cruzaron they crossed
cuadrado, –a square
cuadrícula grid of squares
cuadriculado, –a divided into squares
cuadrito small square
cuadro frame
cuadrúpedo, –a four-legged
cuál, –es *adj.* which
cualidad quality
cualquier, –a any
cuándo *interr. adv.* when
cuando *conj.* when
cuánto, –a how much
cuarto fourth, room
cuatro four
cuatrocientos four hundred
cubierta cover, covered
cubrir to cover
cuchara spoon
cuelguen *com.* suspend, hang
cuello neck
cuerno horn
cuerpo body
cuidado care
cultura culture
cumpleaños *m. s.* birthday
 feliz cumpleaños happy birthday
curva curve

D

dado dice
dado given
dando giving
danés, –a Danish
dar to give
dato fact
 datos information, results
de of (*indicating possession*), from, about, concerning
 de acuerdo okay
 de largo in length
 de repente suddenly
debajo under, underneath
deber + ***infinitive*** to have to, must
decena ten (group of ten)
decir (e→i) *irreg.* to say, tell
decorar to decorate
dedicado, –a dedicated
defenderse to defend (oneself)
definido, –a defined
dejando leaving
dejar to allow, let
del (de + el) of the, from the, about the, concerning the

delicioso, –a delicious
demás other, rest of the
demasiado, –a too much
demostración demonstration
demostrar to demonstrate
dentro inside
deporte *m.* sport
deportivo, –a sporty
derecha right, right side
desafío challenge
desaparecieron they disappeared
desayunar to eat breakfast
desconocido, –a stranger, unknown
describir to describe
descripción description
descubierto discovered
descubrir to discover
desde from
 desde que since
desechable disposable
deshecho, –a dissolved
desierto desert
despedida farewell
despierto I wake up
después after
detalle *m.* detail
detectar to detect
detrás behind
día *m.* day
diagonal diagonal
dibujar to draw
dibujo drawing
dice he, she says
dicen they say
diciembre December
diecinueve nineteen
dieciocho eighteen
dieciséis sixteen
diecisiete seventeen
diente *m.* tooth
diez ten
diferencia difference
diferenciar to differentiate
diferente different
difícil difficult
digas *com.* say, tell
digo I say, tell
dijo he, she said, told
dinosaurio dinosaur
dio she gave
diorama *m.* diorama
diré I will say, tell
dirección address
dirigir to direct
discutir to discuss
dispararse to fire
distancia distance
distinguir to distinguish
distinto, –a clear, distinct
divertido, –a fun, amusing
divertirse (**e→ie**) *irreg.* to amuse oneself, have fun
dividirse en to divide into
doblar to fold
doce twelve
doctor, –a doctor
documento document
dólar *m.* dollar
domingo Sunday
donde *adv.* where
dónde *adv.* where (*interr.*)
dormir (**o→ue**) *irreg.* to sleep
dos two
doscientos two hundred
dragón *m.* dragon
dulce sweet
durante during
durar to last, spend
duraste you (*s.*) lasted, spent
durmiendo sleeping
duro, –a hard

E

echar to throw in
edad *f.* age
edificio building
educación *f.* education
eje *m.* axis
ejemplo *m.* example
el *m.* the
él he
eléctrico, –a electric
electrónico, –a electronic
elefante *m.* elephant
elegante elegant
ella she
ellas *f. pl.* they
ellos *m. pl.* they
embajador, –a ambassador
emoción excitement
empezar (**e→ie**) *irreg.* to begin
empieza it begins
en in
 en fila in a row
encantar to love, like
encender (**e→ie**) *irreg.* to turn on (a computer)
encendí I turn on
enciclopedia encyclopedia
encima on top
encontrado found
encontrar (**o→ue**) *irreg.* to find
enemigo, –a enemy
enero January
enfermo, –a sick
enfrente in front
engrapadora stapler
engrapar to staple
enorme enormous
enriquecer (**c→zc**) *irreg.* to enrich
ensalada salad
enseñar to teach
enseñaron they taught
enseñó he taught
enterarse de to find out about
entiendo I understand
entonces then, in that case
entrar to come in, to enter (information)
entre between
entrevista interview
entrevistado, –a interviewee
entrevistador, –a interviewer
entrevistar to interview
entusiasmado, –a enthusiastic
equipo team
equivaler a to be equivalent to
era it was
eran they were
eres you (*s.*) are
es you (*pl.*), he, she is
escaparse to escape
escoger (**g→j**) *irreg.* to choose
escogido chosen
escolar pertaining to school
escribí I wrote
escribieron you (*pl.*), they wrote
escribimos we wrote
escribió you, he, she, it wrote
escribir to write
escribirás you (*s.*) will write
escribirías you (*s.*) would write
escribiste you (*s.*) wrote
escrito writing, document
escritor, –a writer
escritorio desk
escuchado listened
escuchar to listen
escuché I heard
escuela school
ese, –a *dem.* adj. that
 esos, –as *dem. adj.* those
eso *dem. pron.* that
espacial *adj.* space

espacio space
español, –a Spanish
especial special
especialmente especially
específico, –a specific
esperar to hope
espeso, –a thick
esquina corner
está you, he, she, it is
estabas you (*s.*) were
estación season, station
estado state
estambre *m.* wool thread
estamos we are
están you, (*pl.*) they are
estancia cattle ranch
estar *irreg.* to be
  estar en contacto to be in contact
estaré I will be
estás you (*s.*) are
este *m.* east
este, –a *dem. adj.* this
  estos, –as *dem. adj.* these
estirar to stretch
esto *dem. pron. neut.* this
estoy I am
estrella de mar starfish
estrellado, –a starry
estudiante *m./f.* student
estudiar to study
estudiarás you (*s.*) will study
estudiaste you (*s.*) studied
estudié I studied
estuve I was
estuvieron you (*pl.*), they were
estuvimos we were
estuviste you (*s.*) were
estuvo you, he, she, it was
europeo, –a European
examen *m.* test
excelente excellent
excepto except
excursión trip
exhibir to exhibit, show
expedición *f.* expedition
experiencia experience
experimental experimental
explicar to explain
exploración *f.* exploration
explorador, –a explorer
explorar to explore
expresar to express
expresión expression
extraordinario, –a extraordinary
extraterrestre *m./f.* extraterrestrial

F

fácil easy
falso, –a false
faltar to be missing, lacking
familia family
famoso, –a famous
fantástico, –a fantastic
fascinar to fascinate
favorito, –a favorite
fecha date
felices *f. pl.* happy
felicitaciones congratulations
feliz happy
  feliz cumpleaños happy birthday
femenino, –a feminine
ferrocarril *m.* railroad
ficha chip (game), index card
fiesta party
fijarse to notice, pay attention
fila row
fin *m.* end
  fin de semana weekend
final end, final
firma signature
físico, –a physical
flaco, –a thin
flor *f.* flower
florido, –a full or covered with flowers
folklore *m.* folklore
folklórico, –a folklorical
folleto brochure
fondo bottom, depth
forma form
formación formation
formar to form
formó she formed
forrar to cover
fortaleza fortress
fósil *m.* fossil
foto *f.* photo
fotográfico, –a photographic
frase *f.* phrase
freír (e→i) *irreg.* to fry
frente *m.* front
fresa strawberry
fríes you (*s.*) fry
frijol *m.* bean
frío *n.* cold
frío, –a *adj.* cold
frito, –a fried
frontera border
fruta fruit
frutilla strawberry (Argentina)
fue it went, was
fuente *f.* source
fuera *com.* it were
fueron they, you (*pl.*) went, were
fuerte strong
fui I went, was
fuimos we went, were
fuiste you (*s.*) went, were
función function
fundada founded
fundó he founded
fútbol *m.* soccer
futuro *n.* future
futuro, –a *adj.* future

G

gafas *f. pl.* eyeglasses (Spain)
gallina hen
ganador, –a winner
ganar to win
ganará you, he, she, it will win
ganarán you (*pl.*), they will win
ganarás you (*s.*) will win
ganaré I will win
ganaremos we will win
garra claw, talon
gato cat
gazpacho gazpacho (cold vegetable soup)
generalmente generally
género gender
gente *f.* people
geografía geography
geométrico, –a geometrical
gerundio gerund
gigante gigantic
gimnasia gymnastics
gira tour, excursion
girado revolved
girar to revolve
glaciar *m.* glacier
globo globe
  globo terráqueo earth globe
gol *m.* goal
golfo gulf
gordo, –a fat
gracias thanks, thank you
grado degree (temperatura), grade, level (education)
gráfica graph
gran (*before m. s. noun*) large
grande large

grupo group
guacamole *m.* guacamole
guía guide
guía *m./f.* guide (person)
guitarra guitar
guitarrista *m./f.* guitar player
gustar to be pleasing, to like
gustaría would like
gustó liked
gusto taste

H

haber *aux.* to have
había there were
hábito habit
hablar to speak
hablaron they, you (*pl.*) spoke
hablaste you (*s.*) spoke
hablé I spoke
habló he spoke
hacer to do, to make
hacer calor to be hot (weather)
hacer preguntas to ask questions
hacia toward
hacia atrás back, backwards
hagan *com.* do, make
hambre *m.* hunger
hamburguesa hamburger
hámster *m.* hamster
haragán, –a lazy
harás you will do, make
haremos we will do, make
hasta until, up to
hasta luego so long
hasta mañana until tomorrow
hay there is, there are
haz *com.* do, make
he *aux.* I have
helado ice cream
helicóptero helicopter
hemisferio hemisphere
hemos *aux.* we have
herbívoro, –a *n.* herbivore; *adj.* plant eating
hermano, –a brother, sister
herramienta tool
hice I did, made
hicieron you (*pl.*), they did, made
hicimos we did, made
hiciste you (*s.*) did, made
hielo ice
hijo, –a son, daughter
hilo thread, yarn
hilo de lana wool yarn
hispano, –a Hispanic
historia story, history
histórico, –a historic, historical
hizo he, she, it did, made
hoja leaf
hoja de papel sheet of paper
hola hello
hombre *m.* man
hondo, –a deep
hora hour
horario schedule
horizontal horizontal
hornear to bake
horno oven
horno de microondas microwave oven
horrible horrible
hospital *m.* hospital
hotel *m.* hotel
hoy today
huarache *m.* sandal (Mex.)
huella impression
hueso bone
huevo egg
humano, –a human

I

idea idea
identidad *f.* identity
identificar to identify
idioma *m.* language
igual equal, same
ilustración illustration
imaginarse to imagine
imaginario, –a imaginary
imitar to imitate
impar odd or uneven number
imperio empire
importante important
impresionante impressive
impresora printer (computer)
imprimir to print
inclinación *f.* slant
incluye it includes; *com.* include
incluyendo including
incorrecto, –a incorrect
indicar to indicate
indio, –a Indian
individual individual
infinitivo infinitive
influencia influence
información *f.* information
informativo, –a informative
informe *m.* report
inglés, –a English
instrucción *f.* instruction
instrumento instrument
inteligente intelligent
interesante interesting
internacional international
Internet *f.* Internet
interrogación question
interrogativo, –a interrogative
inventar to invent
invernar to hibernate
investigar to investigate
invierno winter
invitar to invite
invitaré I will invite
invitaron they invited
invité I invited
invitó you, he, she invited
ir *irreg.* to go
irá you, he, she, it will go
irán you (*pl.*), they will go
irás you (*s.*) will go
iré I will go
iremos we will go
irregular irregular
isla island
italiano, –a Italian
izquierda left side

J

jaguar *m.* jaguar
jamón *m.* ham
jersey *m.* sweater (Spain)
jícara small bowl, cup
jitomate *m.* tomato (Mexico)
joven *m./f.* young person
juega you (*s.*) he, she plays
juegan you (*pl.*), they play
juegas you (*s.*) play
juego game; I play
jueves Thursday
jugado played
jugador, –a player
jugamos we play
jugar (u→ue) *irreg.* to play
jugaste you (*s.*) played
jugo juice
jugó you, he, she, it played
jugoso, –a juicy
jugué I played
juguete *m.* toy

julio July
juntarse to meet
junto, –a together

K

kilómetro kilometer
kindergarten *m.* kindergarten

L

la *f.* the
lado side
lana wool
lanzar to throw
lápices pencils
lápiz *m.* pencil
largo, –a long
las *f. pl.* the
lástima pity
lata can
latino, –a Latin
lavar to wash
lavé I washed
le *dir. obj. pron.* it
leche *f.* milk
lechuga lettuce
lector, –a reader
leer to read
leí I read
leíste you (*s.*) read
lejano, –a distant, faraway
lejos far away
lengua language, tongue
les *per. pron. pl.* (*as dir. obj.*) them
letra letter
levantarse to get (oneself) up
léxico, –a lexical
leyenda legend
libra pound
librería bookstore
licuadora blender
limón *m.* lemon
limpiar to clean
lindo, –a pretty
línea line
linterna flashlight
líquido liquid
lista *n.* list
listo, –a *adj.* ready
listón *m.* ribbon
llamado called
llamar to be called, call, name
llegada arrival
llegado arrived
llegar to arrive
llegaremos we will arrive
llegaron they arrived
llegó arrived
lleno, –a full
llevar to carry, take
llorar to cry
lloré I cried
llover (**o→ue**) *irreg.* to rain
lloviendo raining
llueve it is raining
lluvia rain
lo it
lo mismo the same
local local
localizarse to be located
loro parrot
los *m. pl.* the
los *pl.* the
lubricante *m.* lubricant
luces *f. pl.* lights
luego then
lugar *m.* place
luna moon
luz *f.* light

M

machacar to mash
madera wood
madre *f.* mother
madrileño, –a from Madrid
maduro, –a ripe
maestro, –a teacher
mahones *m. pl.* jeans (Puerto Rico)
maíz *m.* corn
mal (*before m. s. noun*) bad
malo, –a bad
mamá mother, mama
mamífero, –a mammal, mammalian
mañana morning
manatí *m.* manatee
mancha spot
mandar to send
manera manner, way
maní *m.* peanut
mano *f.* hand
mantener (**e→ie**) *irreg.* to maintain
manzana apple
mapa *m.* map
mar *m.* sea
maracas maracas
marcado marked
marcador *m.* marker (for writing)
marcar to mark
margen *m.* margin
mariachi *m./f.* mariachi
marimba marimba
marinero, –a sailor
marino, –a marine
martes Tuesday
marzo March
más more
más o menos more or less
mascota pet
masculino, –a masculine
material *m.* material
máximo, –a maximum
me me, to me
me acuesto I go to bed
me divierto I enjoy myself
me enamoré de *pret.* I fell in love with
me muero de I am dying of (*fig.*)
medio, –a half
medusa jellyfish
mejor best; better
memorable memorable
memorizar to memorize
mencionado, –a mentioned
menos less
mensajero, –a messenger
menudo minute, small
mercado market
mes *m.* month
mesa table
meta end, goal
meter to put in
mexicano, –a Mexican
méxicoamericano, –a Mexican American
mezcla mixture
mezclar to mix
mí me
mi, mis *poss. adj.* my
microbús *m.* minibus
micrófono microphone
microonda microwave
mide *com.* measure, measures
miden they measure
miedo fear
miembro member
mil thousand
milla mile
millón *m.* million

mínimo, –a minimum
minúscula small letter
minuto minute
mío, –a mine
mirar to look (at)
mismo, –a same
misterioso, –a mysterious
mitón *m.* mitten
mochila backpack
modelo model
moderno, –a modern
mojar to get wet
molino mill
  molino de viento pinwheel
moneda coin
mono monkey
montaña mountain
montar to ride
  montar a caballo to ride a horse
mortal fatal
mostrar (o→ue) *irreg.* to show
motor *m.* motor
mover (o→ue) *irreg.* to move
movimiento movement
muchacho, –a boy, girl
mucho, –a, –os, –as a lot, much
mudo, –a silent
muestra it shows
mueve it moves
mujer *f.* woman
múltiple multiple
mundo world
muñeca doll
murió he died
museo museum
música music
musical musical
músico, –a musician
muy very

N

nace it is born
nací I was born
nacional national
naciste you were born
nadar to swim
nadaron they swam
nadie *indef. pron.* nobody
naranja orange
narices *f. pl.* noses
nariz *f.* nose
natación *f.* swimming
natural natural
nave *f.* ship, craft
navegar to navigate
necesario necessary
necesitar to need
negativo, –a negative
negro, –a black
nevando snowing
ni nor
nieva it is snowing
nieve *f.* snow
ningún (*before m. s. noun*) none
ninguno, –a none
niño, –a boy, girl
no (*adv.*) not
nombrar to name
nombre *m.* name
nones *m.* odd numbers
norte *m.* north
nos *pers. pron.* (*as i.o.*) to us
nosotros, –as *pers. pron.* we
nota grade, note
noticia news
novecientos nine hundred
novela novel
nublado, –a cloudy
nuestro, –a *poss. adj.* our
nueve nine
nuevo, –a new
número number
nunca never

O

o or
objetivo objective
objeto object
obra work
observación observation
observar to observe
observatorio observatory
obtener (i→ie) *irreg.* to obtain
ocho eight
ochocientos eight hundred
ocurrieron they occurred
ocurrió occurred
ocurrir to occur
oeste *m.* west
oficina office
ojo eye
ola wave
olor smell
once eleven
opinión *f.* opinion
oprimir to press
opuesto, –a opposite
oración sentence
órbita orbit
orden *m.* order
ordenar to put in order
oreja ear
orgulloso, –a proud
orilla edge
orquesta orchestra
ortográfico, –a spelling
oscuridad *f.* darkness
oso bear
otoño fall (season)
otro, –a other
oxígeno oxygen

P

padre *m.* father
página page
país *m.* country
paisaje *m.* landscape, scenery
pájaro, –a bird
palabra word
pan *m.* bread
pantalla screen (computer)
pantalón *m.* pair of pants
  pantalones vaqueros jeans
panzón, –a pot–bellied
papá father, papa
papa potato
papagayo parrot
papalote *m.* kite (Mexico)
papás parents
papel *m.* paper
  papel de construcción construction paper
par even number, pair
para + *inf.* in order to (do something)
paraguas *m. s. pl.* umbrella
parcialmente partly
parecer(se) (c→zc) *irreg.* to seem, look like
parecido, –a alike, similar
pared *f.* wall
pareja pair
paréntesis *m. s. pl.* parenthesis
pariente, –a relative
parque *m.* park
  parque acuático water park
párrafo paragraph
parte *f.* part
participar to participate

partida start (of a trip)
partido game
pasado last, past
pasajero, –a passenger
pasar por to pass by
paseo trip
paso step
pata foot, leg
patata potato (Spain)
patear to kick
patinar to skate
patio patio
paz *f.* peace
pecera fishbowl
peces *m. pl.* fishes
pecho chest
pedazo piece
pedir (e→i) *irreg.* to ask
pegamento glue
pegar to glue
pelar to peel
peligroso, –a dangerous
pelo fur, hair
pelota ball
pensar (i→ie) *irreg.* to think
pensión *f.* pension
peor worse; worst
pepino cucumber
pequeño, –a small
pera pear
perdón excuse me
perdone pardon
perfecto, –a perfect
perico, –a parakeet
periódico newspaper
permanente permanent
permiso permission
pero but
perro dog
persigue it pursues
persona person
personal *adj.* personal
persuasivo, –a persuasive
pertenencia *f.* belonging
peruano, –a Peruvian
pesado, –a heavy
pesar to weigh
pescar to fish
pez *m.* fish
  pez roca rockfish
  pez vela sailfish
piano piano
picado, –a minced, chopped
picante very hot (taste)
picar to peck
pícaro, –a mischievous
pícnic *m.* picnic
pie *m.* foot
piensa (en) *com.* think (about)
piensan they think
pierdes you (*s.*) lose
pierna leg
pimiento pepper
pirámide *f.* pyramid
piscina swimming pool
piso floor
pista clue
pizarrón *m.* blackboard
pizza pizza
plan *m.* plan
planear to plan
planeta *m.* planet
planetario, –a planetary
planta plant
plastilina modeling clay
plata silver
plátano plantain, banana
plato dish, plate
  plato de cartón paper plate
playa beach
playera T-shirt
plaza plaza
pluma feather, pen
plural plural
población *f.* population
poco, –a little
podemos we can, are able
poder (o→ue) *irreg.* can, to be able
podían they were able
podrían they would be able
poema *m.* poem
pollo chicken
polo pole (geographical)
poner to put
popular popular
poquito, –a a little bit
por for
  por la mañana in the morning
  por la tarde in the afternoon
  por qué why
  por supuesto of course
  por último finally
porque because
portada cover
portarse to behave
posesivo, –a possessive
posición *f.* position
postal post
póster *m.* poster
practicar to practice
precipitación *f.* precipitation
prefieres you (*s.*) prefer
pregunta question
preparado prepared
preparar to prepare
presencia presence
presenciar to be present
presentación *f.* presentation
presentar to present
prestar atención to pay attention
pretérito preterit
primavera spring
primer (*before s. m. noun/adj.*) first
primero first, in the first place
primo, –a cousin
principal main
probado tasted
probar to taste, to try
producto product
profesor, –a teacher
promedio average
pronombre *m.* pronoun
pronóstico forecast
  pronóstico del tiempo weather forecast
pronto quickly, soon
propósito purpose
proveer to provide
provienen they come from
próximo, –a next
proyecto project
prueba a he tries to; *com.* try to
pude I could, was able
pudiste you (*s.*) could, were able
pueblo town, people
puedas you (*s.*) can, are able
puede you, he, she, it can, are able
pueden you (*pl.*), they can, are able
puedes you (*s.*) can, are able
puedo I can, am able
puente *m.* bridge
puerta door
puerto port
pues *adv.* then, well; *conj.* because
  pues sí yes, of course; yes, certainly
pulgada inch
pulmón *m.* lung
pulpo octopus
punta point
puntaje *m.* total points
punto place, point
puré *m.* purée

Q

qué what
que *rel. pron.* who, whom, that, which
quedarse to stay
quedó he got
quemarse to burn, to get burned
queremos we want, wish
querer (e→ie) *irreg.* to want, wish
querido, –a dear
queso cheese
quien *rel. pron.* who, whom
quién, –es *interr. pron.* who, whose
quiere you, he, she, it wants, wishes
quieren you (*pl.*), they want, wishes
quieren + ***inf.*** they want to do something
quieres you (*s.*) want, wish
quiero I want, wish
quince fifteen
quinientos five hundred
quitarse to go away

R

radio *f.* radio
radiotelescopio radiotelescope
raíces *f. pl.* roots
raíz *f.* root
rallado, –a grated
rancho ranch
rápido, –a quick, quickly
raro, –a odd, strange
ratón mouse; mouse (computer)
rayado, –a strip
razón *f.* reason
real *adj.* real, actual
realizar to realize, to achieve
recaer to fall on
receta recipe
recibir to receive
recipiente *m.* container
recomiendo I recommend
reconocer *irreg.* to recognize
recordar (o→ue) *irreg.* to remember
recortar to cut up, trim
rectángulo rectangle
recuadro square
recuerda *com.* remember
recuerdan you (*pl.*) remember
recuerdas you (*s.*) remember
recuerden *com.* remember
recuerdo I remember
recuerdo *n.* memory
red *f.* web
  red de palabras word web
redondo, –a round
referencia reference
refiere it refers
reflexivamente reflexively
reflexivo, –a reflexive
refrescante refreshing
refresco drink
refrito, –a refried
regalo gift
región *f.* region
regla rule
regresar to return
regreso *n.* return
regular regular
relación *f.* relation
reloj *m.* clock, watch
repasar to review
repente sudden movement
  de repente suddenly
repetido repeated
representar to represent
requieren they require
resolver (o→ue) *irreg.* to decide
respeto respect
respirar to breathe
respuesta answer
resto rest
resumen *m.* summary
retar to challenge
retazo piece
retirado, –a remote
retirar to remove
retiro retreat
reto challenge
retrato picture, portrait
retumbar to rumble
reunido reunited
reunir (u→ú) *irreg.* to gather, collect
revista magazine
revolver (o→ue) *irreg.* to mix
revuelves you (*s.*) mix
rico, –a rich
riel *m.* rail (railway)
rincón *m.* corner
río river
ritmo rhythm
roca rock
rodaja slice
roja, –o red
ropa clothes, clothing
rotular to label
rótulo label
rueda wheel
ruta route

S

sábado Saturday
saber + ***inf.*** to know how to do something
sabor *m.* flavor
sabrás you (*s.*) will know
sacar to get, remove
  sacar mejores notas to get better grades
sal *f.* salt
sala room, living room
salir (*irreg.*) to leave
salón *m.* classroom, hall
salsa salsa, sauce
saltar to jump
saludar to greet
saludo greeting
salvaje wild
san (*before m. s. noun*) saint
santo, –ta saint
sandalia sandal
sándwich *m.* sandwich
satélite *m.* satellite
sé I know
se himself, herself, yourself (formal), themselves, yourselves
  se acuesta she gets up
  se acuestan they get up
  se lastimó he hurt himself
  se nos quemó we burned it
  se posee posseses
  se publicó published
  se reemplaza one replaces
  se refieren they refer to
  se usaban they used
sea I was, were, to be
sección *f.* section
sed *f.* thirst
seguir (e→i) *irreg.* to follow
seguiremos we will follow
según according to
segundo second
seguramente surely
seguro, –a sure, certain
seis six
seiscientos six hundred

selección *f.* selection
semana week
semejante similar, alike
seña signal
señal signal, sign
señalar to signal
señorita miss
sensación feeling
separar to separate
septiembre September
ser *n.* being
  ser humano human being
ser to be
serpiente *f.* snake, serpent
servir (e→i) *irreg.* to serve
setecientos seven hundred
sevillano, –a from Seville
si if
sí yes
siamés, –sa Siamese
siete seven
significado meaning
significar to mean
signo sign
sigue it follows
siguiente following, next
sílaba syllable
silbar to whistle
silla chair, seat
símbolo symbol
similar similar
simpático, –a kind, likeable
simple simple
sin without
singular singular
sino except
sobre about, on
sol *m.* sun
solamente only
solar solar
soleado sunny
sólido, –a solid
sólo *adv.* only
solo *adj.* only
somos we are
son they are
sonido sound
sopa soup
sorteo casting of lots
sostener to hold together
soy I am
Sr. *abbrev.* of Señor, Mr.
su, sus his, her, its
suave smooth, soft
subir to climb (up), go up
submarino submarine
subrayado, –a underlined
sucesivamente successively
suelo soil, ground
suena it sounds
suéter sweater
suficiente sufficient
sugerir (i→ie) *irreg.* to suggest
sujetar to hold
sumar to add
sumergirse (g→j) *irreg.* to submerge
supuesto supposed
  por supuesto of course
sur *m.* south
sustantivo noun
suyo, –a yours

T

tabla board, chart, table
tachuela push pin
taco taco
tal such, such a
  tal vez perhaps
talento talent
tamaño size
también also, too
tambor *m.* drum
tan so
  tan...como as much as
  tanto, –a so much
  tanto, –a...como as much as
tarde *f.* afternoon
tarea homework
tarjeta card
  tarjeta postal postcard
te *per. pron.* you, to you
  te acuestas you (*s.*) go to bed
teclado keyboard (computer)
tele *f.* TV
teléfono telephone
telescopio telescope
televisión *f.* television
tema *m.* topic
temperatura temperature
temprano early
tenemos we have
tener (e→ie) *irreg.* to have
  tener cuidado to be careful
  tener hambre to be hungry
  tener miedo (a) to be afraid (of)
  tener que + ***inf.*** to have to do something
  tener sed to be thirsty
tengas you (*s.*) have
tengo I have
  tengo sed I am thirsty
tenía it had
tenían they had
tenis *m.* tennis
teotihuacano, –a resident of Teotihuacan
tercer third
terminación *f.* ending
terminar to end
terráqueo, –a (refering to) earth
terrible terrible
texto text
ti *per. pron.* to you
tiburón *m.* shark
tiempo time, weather
tienda store
tiene you, he, she, it has
tienen you (*pl.*), they have
tienes you (*s.*) have
tierra earth, soil
tigre *m.* tiger
tijeras *f. pl.* scissors
tilde *f.* tilde
tío, –a uncle, aunt
típico, –a typical
tipo type
tiranosaurio Tyrannosaurus
título title
tocar to touch
todavía still
todo, –a all
  todo el mundo everyone
tomar to take
tomaré I will take
tomaste you took
tomate *m.* tomato
tomé I took
tonto, –a stupid
tormenta storm
torneo tournament
tortilla tortilla
tortuga turtle
trabajar to work
trabajo work
trabalenguas *m. s.* tongue twister
tradición *f.* tradition
tradicional traditional
tráfico traffic
traganombres *m. f.* word-eater
tragó swallowed
tragón, –a gluttonous
traído brought
trajo he, she brought
transportar to transport

transporte *m.* transportation
tratar to deal with, discuss
trazar to trace
trece thirteen
treinta thirty
tren *m.* train
tres three
trescientos three hundred
triángulo triangle
triste sad
trocito little piece
trompeta trumpet
trozo piece
tú you
tu, tus your
turismo tourism
turístico, –a tourist
turnarse to alternate, take turns
turno turn
tuve I had
tuvieron you (*pl.*), they had
tuvimos we had
 tuvimos que we had to
tuviste you (*s.*) had
tuvo you, he, she, it had

U

último, –a last, final
un, –a a, an
unidad *f.* unit
unión *f.* union
unirse to get together with
untar to apply
usado, –a used
usar to use
usaremos we will use
usarías you (*s.*) would use
uso use
usted, ustedes you

V

va he, she, it goes
 va a going to
vacaciones *f. pl.* vacation
vamos we go
van they go
vaquero, –a of a cowboy, cowgirl
variación *f.* variation
varilla stick
varios, –as varied, various
vas you (*s.*) go
veces times
 a veces sometimes
vecindad *f.* neighborhood
veinte twenty
veinticinco twenty–five
veinticuatro twenty–four
veintidós twenty–two
veintinueve twenty–nine
veintiocho twenty–eight
veintiséis twenty–six
veintisiete twenty–seven
veintitrés twenty–three
veintiuno twenty–one
vela sail
velocidad *f.* speed
vemos we see
ven *com.* (*s.*) come
vender to sell
vengan *com.* come
vengas you come
venido come
venir (**i→ie**) *irreg.* to come
ventaja advantage
ventana window
ventoso windy
ver to see
verano summer
verbal verbal
verbo verb
verdad right
verdadero, –a true
verde green
verso verse
vertical vertical
vez *f.* time
vi I saw
viajado traveled
viajar to travel
viajaremos we will travel
viajaron they traveled
viaje *m.* trip
vida life
vídeo video
viejo, –a old
viendo seeing
viene it comes
vienen a they come to
viento wind
viertan *com.* pour
vimos we saw
vinagre *m.* vinegar
violín *m.* violin
visita visit
visitando visiting
visitar to visit
visitaron you (*pl.*) did visit
vista view
viste you (*s.*) saw
visto seen
vivían they lived
vivir to live
vivirá he will live
vocabulario vocabulary
vocal *f.* vowel
volar (**o→ue**) *irreg.* to fly
vóleibol *m.* volleyball (game)
volver (**o→ue**) *irreg.* to return
volví I returned
voy I go
vuelan they fly
vuelta turn
vuelvan a + *inf. com.* to again do something
vuelve he returns
vuelven you (*pl.*) you return
vuelvo I return

Y

y and
ya already
yeso plaster
yo *pers.* I *pron.* I
yogur *m.* yogurt

Z

zanahoria carrot
zapato shoe